LES FRANÇAIS VUS PAR LES FRANÇAIS

Guy Nevers

LES FRANÇAIS VUS PAR LES FRANÇAIS

Si vous souhaitez être tenu au courant de la publication de nos ouvrages, il vous suffit d'en faire la demande aux Éditions Bernard Barrault, 79, avenue Denfert-Rochereau, Paris 14ᵉ.

ISBN 2-7360-0024-2

Table des matières

Avant-propos

Si ce livre ne se présente comme aucun autre, si sa forme peut surprendre, c'est qu'il poursuit un propos singulier : celui de constituer un autoportrait des Français. Les Français tels qu'ils se représentent eux-mêmes, et dans leurs propres mots.

A l'origine du livre, il y a une production de mots. Non pas des discours ni des phrases mais un jet de paroles s'associant les unes aux autres sans lien logique apparent. Les producteurs de cette parole? Une douzaine d'hommes, de Français, qui sans se connaître auparavant ont été réunis pendant deux journées consécutives uniquement pour cela : parler d'eux-mêmes en tant que Français en rompant avec les usages habituels, rationnels de la parole.

Une parole collective, ainsi, se constitue, libérée des mécanismes de censure qui jouent dans les circonstances normales. Cette parole, intégralement récoltée, et reproduite ici dans l'ordre de succession où elle a été prononcée, est la source unique de l'ouvrage, la seule matière utilisée pour réaliser le portrait, qui est donc bien un autoportrait.

Un autoportrait... de ces douze personnes, dira-t-on. Or, c'est là que s'observe un phénomène remarquable. Bien que « les douze » ne représentent en aucune sorte un échantillon représentatif de la population française, leur parole collective, elle, jaillissant des couches profondes, inconscientes, du vécu de chacun, se libère des particularités individuelles et en vient à dévoiler la vérité des Français en général, telle que l'ensemble des Français la perçoit confusément... Une vérité qui ne se laisse pas résumer, complexe, mais au bout du compte dégageant une force d'évidence qui la rend incontournable.

La représentativité de ce portrait, nous ne pouvons pas la démontrer. C'est à chaque lecteur de s'y confronter et, se regardant dans le livre comme dans un miroir, de vérifier la véracité, l'acuité du portrait. Celui-ci n'est pas un « instantané », il se développe, se déroule, tel un film, et non sans de nombreuses péripéties, au fil d'une cinquantaine de séquences, qui représentent autant de moments distincts dans la production de parole. L'auteur du livre s'est borné à apporter une aide à la lecture de la parole produite. Sans prétendre avoir réussi à éliminer tout apport de subjectivité dans l'analyse et l'interprétation de celle-ci, il a cherché avant tout à épouser son mouvement, à en dégager les lignes de force, à faire apparaître les contours du portrait comme le ferait un révélateur photographique.

Les uns seront impressionnés par la férocité du portrait. D'autres seront séduits par son intensité comique. D'autres encore seront sensibles à sa tendresse et à sa gravité. Il y a tout cela dans l'ouvrage. Par-dessus le marché, nous voudrions que le lecteur y trouve un outil de connaissance de soi, qui l'aide à mieux ajuster son action, à mieux utiliser son énergie, à mieux réussir en tant qu'individu et en tant que membre d'une communauté nationale. Peut-être certains, occupant des postes de responsabilité, y trouveront aussi ceci : un outil de bon gouvernement...

Petit guide de lecture

Chaque séquence s'ouvre sur un texte bref qui commente la production de paroles. Celle-ci figure en bas de page, précédée des quelques mots prononcés par l'animateur du groupe pour lancer ou relancer la parole.

A la suite de chaque texte se présente une carte faisant apparaître les thèmes qui se dégagent de la séquence. Toutes les paroles prononcées au cours de la séquence s'y trouvent réunies en grappes, comme autant d'éléments de relief d'un paysage. Chaque thème porte un nom et celui-ci, lorsqu'il est cité dans le commentaire, l'est en italiques.

Le lecteur peut ainsi, à loisir et sans effort, faire le va-et-vient entre le commentaire, la production de parole et la carte des thèmes. Comme il peut se contenter d'enchaîner la lecture des commentaires. Ou encore, s'amuser à considérer les cartes des thèmes dans leur succession. Ou encore... Il y a de multiples façons de tirer de ce livre sa « substantifique moelle ».

Première partie
MOI FRANÇAIS

1 – Les premières choses qui viennent à l'esprit...

Vous voici campé devant le miroir et, au premier coup d'œil, que discernez-vous? Apparemment rien que des banalités. Une succession poussiéreuse de lieux communs, dans le désordre. Tout ce qu'on sait déjà...

Et puis, en parcourant en tous sens le paysage que laisse derrière elle cette première explosion de mots, quelques éléments de relief se dessinent.

Pour commencer, vous êtes *supérieur*, ou vous ressentez le besoin de vous sentir tel. Cette supériorité est de droit. Elle est assise sur un héritage historique et culturel (de Gaulle, la Révolution, le savoir français), sur un palmarès technique et industriel (Bouygues, Renault, Dassault, le Concorde, le France) et sur la paternité française des grandes valeurs universelles (la liberté, les droits de l'homme).

Cette supériorité se relie à l'image que vous avez de vous-même en tant que *guerrier* : vous possédez la bombe, vous avez les armes, vous êtes prêt à ressortir l'uniforme de l'armée; votre revanche vous l'avez prise et, s'il le faut, vous volerez vers de nouvelles victoires.

L'avantage que vous donne cette supériorité héréditaire, c'est que vous pouvez vous installer dedans et vous sentir bien dans votre peau, bien dans votre vie où vous jouissez de tout ce qu'il vous faut : la bouffe, le vin, les animaux domestiques, les petites femmes, le béret et le litron, votre accent et vos congés payés, vos pantoufles et vos

---

— *Quelles sont les premières choses qui viennent à l'esprit à propos des Français?*

le mot français
le savoir français
le passé
la culture
la bouffe
l'industrie
la liberté
la renommée
la Française

l'alimentation
le sérieux
exactitude
la parole
précision
l'esthétique
le côté rationnel
le goût
l'abstrait
la ténacité
la mode
le vin
le parfum
le terroir

idées toutes faites, le PMU, le pastis... *Casanier,* vous chérissez votre terroir, qui est aussi votre basse-cour (vous êtes le coq...). Chauvinisme et racisme accompagnent ce sentiment aigu d'appartenance. Vous êtes suffisant, et comment ne le seriez-vous pas, vu que vous vous suffisez à vous-même? Quel besoin avez-vous des autres ou de vous transporter ailleurs? Vous êtes satisfait d'être comme vous êtes et où vous êtes.

Se rattachant à votre supériorité, et constituant un de ses fondements, est votre côté *rationnel,* votre capacité pour l'abstrait aussi bien que votre talent pour la précision.

Rien jusqu'à présent, dans cette vision, qui ne soit homogène. Supérieur, guerrier, casanier et rationnel forment un seul et même massif qu'on pourrait appeler le « masculin français ». Mais vous vous représentez aussi comme *frivole :* doué de fantaisie, porté sur la galanterie, aimant Deauville et Bardot, sensible à l'esthétique des choses, voire même à leur superficialité. Là se dessinent les traits d'un « féminin français » qui fait contraste avec les thèmes précédents. La représentation que vous vous faites de vous-même est androgyne. Opposées, vos deux faces sont inséparables et, du reste, aussi valorisantes l'une que l'autre. Le coq, avec la combinaison d'attributs qui le caractérisent, intègre bien ces divers éléments de relief. Il semble n'avoir subi, depuis le temps qu'il vous sert de symbole, aucune usure...

On est frappé par tout ce qui, dans vos premiers propos, se rapporte à l'orifice buccal : la bouffe et le mot, l'alimentation et la parole, le vin et l'accent du terroir, le

---

de Gaulle	le nombrilisme
les animaux domestiques	la réputation
le racisme	la superficialité
la révolution	les idées toutes faites
le goût de liberté	le Concorde
la technologie	l'aventure du France
les anciennes colonies	Bouygues
les armes	les pantoufles
les terroirs	les bijoux
son coin	les parfums
les petites femmes	Dassault
le béret	Thomson
litron	Renault
Coluche	suffisance
l'accent français	chauvinisme
les congés payés	racisme
séduction	snobisme
la fantaisie	cyclisme
le sexe	rugby

goût de la liberté et le goût du pastis. Vous êtes homme de bouche, homme de nez aussi, friand de tous les parfums — il est vrai que bouche et nez communiquent — alors que rien ne renvoie au regard, à l'écoute, au toucher. Homme de bouche et de nez, vous êtes aussi homme de tête (les idées, le savoir, la raison) bien davantage qu'homme de corps... Le corps, pour peu qu'il apparaisse, est revêtu, décoré (la mode, l'élégance, les bijoux). Homme de tête enfin, vous l'êtes davantage qu'homme de cœur. Les sentiments et émotions qui ici s'expriment s'adressent tous au moi, ne trahissent aucun élan vers l'autre. Du reste, les paroles émises à ce stade évitent le domaine du sensible. Elles désignent, elles étiquettent.

La principale impression d'ensemble est celle d'un paysage fermé : on n'entre ni ne sort. Votre supériorité ne résulte pas d'efforts ou de performances dans le temps présent; c'est un acquis, comme un état naturel que rien ne saurait remettre en cause. Aussi, tout naturellement, elle justifie et fonde votre immobilité, votre repliement sur vous-même — sur ce que vous êtes et sur ce que vous avez. La représentation guerrière n'est-elle pas le moyen de se rassurer sur la capacité qu'on a de défendre ce qu'on est et ce qu'on a? Elle a un caractère de parade...

A l'autre pôle, vos propos brossant l'aspect frivole de votre personnage n'évoquent-ils pas, eux aussi, un comportement de parade — la parade de séduction, se distinguant de la parade guerrière mais, tout compte fait, la rejoignant?

---

football	revanche
tennis	la guerre
pétanque	la gloire
pastis	les anciens combattants
le coq	harkis
l'élégance	l'affaire Barbie
galanterie	Hara-Kiri
victoire	l'Alsace-Lorraine
Napoléon	décadence
Jeanne d'Arc	droits de l'homme
Bardot	Canard Enchaîné
Maurice Chevalier	frivolité
la bombe	Deauville
aristocratie	le casino
supériorité	PMU
l'honneur	la créativité
la rancune	l'uniforme de l'armée
la rancœur	
recul	

...casanier

la bouffe
la Française
l'alimentation
le vin
le terroir
les animaux domestiques
le racisme
les terroirs
son coin
les petites femmes
le béret
litron
Coluche
l'accent français
les congés payés
le nombrilisme
des idées toutes faites
les pantoufles
suffisance
chauvinisme
racisme
cyclisme
rugby
football
tennis
pétanque
pastis
le coq
Hara-Kiri
le Canard Enchaîné
PMU

... *frivole*

l'esthétique
le goût
la mode
le parfum
séduction
la fantaisie
le sexe
la superficialité
les bijoux
les parfums
snobisme
l'élégance
galanterie
Bardot
Maurice Chevalier
frivolité
Deauville
le casino
la créativité

... supérieur

le mot français
le savoir français
le passé
la culture
l'industrie
la liberté
la renommée
la parole
la ténacité
de Gaulle
la Révolution
le goût de liberté
la technologie
les anciennes colonies
la réputation
aristocratie
supériorité
Concorde
l'aventure du France
Bouyghes
Dassault
Thomson
Renault
la rancune
la rancœur
décadence
droits de l'homme

... guerrier

les armes
victoire
Napoléon
Jeanne d'Arc
la bombe
l'honneur
recul
revanche
la guerre
la gloire
les anciens combattants
harkis
l'affaire Barbie
l'Alsace-Lorraine
l'uniforme de l'armée

Les premières choses
qui viennent à l'esprit...

... rationnel

le sérieux
exactitude
précision
le côté rationnel
l'abstrait

2 – Le Français, il est comment?

Non plus les Français en général, mais *le* Français en particulier, vous... Comment vous voyez-vous?

Le miroir s'est rapproché, et c'est maintenant en gros plan que se présentent des traits déjà apparus, et puis d'autres jusqu'à présent restés dans l'ombre.

On vous retrouve *la bouche en avant* — râleur, gueulard, bâfreur (y a qu'en France qu'on mange) et beau parleur — comme on vous retrouve *supérieur* : fier de votre pays, le plus beau, jouant un rôle dans le monde, capable de grands desseins. Mais voici que, dans la façon dont vous revendiquez cette supériorité, l'on discerne une ambivalence. A la fois vous y croyez, et vous n'y croyez pas. A la fois vous vous y accrochez, et vous la soupçonnez d'être creuse ou d'être une chose du passé : on a été une grande nation, on s'est endormi sur ses lauriers, on pète plus haut que son derrière. Pas responsable de ses échecs, la France? Peut-être... Ses échecs, c'est les autres? Sans doute... Mais on est devenu « franco-centrique, cococentrique », et vous avez cette expression : « le bas de l'aile » qui est comme une façon pour l'angoisse de fuser d'une façon saugrenue. La supériorité est d'autant plus martelée qu'elle est fragilisée. Il y a des discordances dans votre voix, une fêlure, une souffrance qui se fait jour. Il y a comme un filet d'ironie qui perce dans votre discours triomphaliste. Il y a comme l'émergence de la conscience douloureuse d'une mutation.

— *Non plus les Français au pluriel, mais le Français au singulier... Il est comment?*

plus malin
parle pas mal
qui peut peu chatouille bien
tout chatouille
touche-à-tout
système D
bon vivant
séducteur

plus beau
plus démerdard
pense culturel
fier de son pays
Paris
rien n'est plus beau
esprit de clocher
y a qu'en France qu'on
/mange
se reconnaît râleur
bagarreur
frondeur
individualiste
contradicteur

Mais de nouveaux éléments de relief ont surgi :

Vous êtes *possesseur* : vous avez la maladie de la pierre et, notez-vous drôlement, « un côté or ». Attaché à vos particularités comme à autant de composants d'un trésor, vous avez intériorisé le bas de laine, et n'en finissez pas de vous enrouler dans votre pronom possessif. Vous accumulez, vous conservez, détenez, épargnez et... vous vous épargnez. Tout naturellement, ces comportements s'accompagnent de méfiance et de jalousie. La vulgarité de l'argent fait qu'on le met de côté plutôt qu'on ne le brasse ou qu'on ne le laisse circuler et fructifier librement. Traces d'une gêne séculaire...

Quiconque amasse craint pour ses biens, d'où votre instinct grégaire. Dans un troupeau on se sent protégé. Vous réclamez que l'autorité fasse œuvre de police, tout en vous reconnaissant individualiste, indiscipliné, contradicteur : ici apparaît le thème *frondeur* qui se jette en travers du thème précédent — le Français veut et ne veut pas être gouverné.

Un haut degré de compatibilité, en revanche, existe entre frondeur et *démerdard*. Ce dernier trait renvoie à un goût et à une aptitude pour un mode marginal de production. Pas de système, mais le Système D. Vous vous tirez d'affaire plutôt que vous ne faites des affaires, et cela veut dire que vous agissez dans votre coin, comme vous l'entendez et de la façon qui vous est propre, à l'écart des autres ou contre les autres, plutôt qu'avec les autres et de concert en vous pliant à une règle commune.

---

indiscipliné	supériorité de la culture
en tire gloire	/française
xénophobe	conduit mieux
pète plus haut que son	pas de pétrole mais des
/derrière	/idées
culte de la patrie	le bon sens paysan
sens civique	le bas de laine
plein de l'idée qu'on s'en fait	le bas de l'aile
on a été une grande nation	un côté épargnant
franco-centrique	maladie de la pierre
cococentrique	un côté or
ne connaît pas la géographie	raffiné
a su faire un hexagone	original
à l'étranger on nous aime	civilisé
un rôle dans le monde	pas responsable de ses
pas de leçons à recevoir	/échecs
incompris	c'est les autres
savoir-vivre	méconnu
gueulard	versatile

Ainsi se renforce et s'enrichit le massif du masculin français : la bouche en avant, supérieur et possesseur, frondeur et démerdard. L'autre massif, celui du féminin français, n'en est pas moins présent dans le paysage puisque vous vous affirmez *raffiné-jouisseur* — élément de relief qui s'impose avec force et qui fait de vous le champion du savoir-vivre. Vous êtes original, civilisé et versatile; vous pensez culturel; vous n'avez pas de pétrole mais des idées. Et puis vous êtes bon vivant, joueur, grivois, aimant rire; vous avez l'esprit gaulois; vous êtes touche-à-tout et tout vous chatouille.

Enfin, vous êtes *ouvert...* Ce qui veut dire : franc, spontané, réglo, accueillant, hospitalier. Mais force est de constater le peu d'aliment allant à ce thème, qui fait une entrée hésitante, modeste, peu appuyée, dans le panorama d'ensemble.

A considérer celui-ci, supérieur et possesseur en constituent les éléments dominants, et forment comme une double forteresse à l'intérieur de laquelle vous vous êtes verrouillé, dans laquelle vous trouvez votre confort et votre bonheur, bien que quelques craquements se fassent entendre. Dedans, vous frondez et vous vous démerdez, mode d'action qui convient à qui se calfeutre à l'abri du monde extérieur. Il y aurait quelque chose d'accablant à ce paysage, si ce n'était les lignes douces, ondulantes, du thème raffiné-jouisseur, qui, tout compte fait, contient ce qu'il y a de moins confiné, de plus présent et vivant dans le reflet que vous offre le miroir.

---

capable de grands desseins	joueur
attaché à ses particularités	franc
on se défend bien	pas de système
instinct grégaire	la faute à
possesseur : ma voiture	spontané
ma femme	réglo
mon ...	accueillant
mes ...	hospitalier
content de lui-même	aimant rire
mes grands hommes	esprit gaulois
mon pays si varié, si beau	grivois
endormi sur ses lauriers	artisanat
prône la démocratie	on nous copie
mais réclame l'autorité	bricoleur
fainéant dans le sud	génie
vulgarité de l'argent	ah!!!
méfiance	
jalousie	
sectaire	

... bouche en avant

parle pas mal
y a qu'en France qu'on mange
râleur
contradicteur
gueulard

... possesseur

le bon sens paysan
le bas de laine
un côté épargnant
maladie de la terre
un côté or
attaché à ses particularités
vulgarité de l'argent
méfiance
artisanat
instinct grégaire
possesseur : ma voiture
            ma femme
            mon ...
            mes ...
mes grands hommes
prône la démocratie
mais réclame l'autorité
méfiance
jalousie
sectaire
la faute à
on nous copie

... frondeur

se reconnaît râleur
bagarreur
frondeur
individualiste
contradicteur
indiscipliné
en tirer gloire
gueulard

... démerdard

plus malin
touche à tout
système D
plus démerdard
pas de système
bricoleur
génie

... supérieur

plus beau
fier de son pays
Paris
rien n'est plus beau
esprit de clocher
y a qu'en France qu'on mange
en tirer gloire
xénophobe
pète plus haut que son derrière
culte
sens civique
plein de l'idée qu'on s'en fait
on a été une grande nation
franco-centrique
cococentrique
ne connaît pas la géographie
a su faire un hexagone
à l'étranger on nous aime
un rôle dans le monde
pas de leçons à recevoir
incompris
supériorité de la culture française
conduisent mieux
le bas de l'aile
pas responsable de ses échecs
c'est les autres
méconnu
capable de grands desseins
on se défend bien
content de lui-même
mes grands hommes
mon pays si varié, si beau
endormi sur ses lauriers

Le Français, il est comment?

... raffiné-jouisseur

parle pas mal
qui peut peu chatouille bien
tout chatouille
bon vivant
séducteur
savoir-vivre
pense culturel
pas de pétrole mais des idées
raffiné
original
civilisé
versatile
fainéant dans le sud
vulgarité de l'argent
joueur
aimant rire
esprit gaulois
grivois

...ouvert

franc
spontané
réglo
accueillant
hospitalier

M'EMMERDE PAS !

3 – *Je suis Français*

Du « il », vous êtes passé au « je », et il a suffi de ce glissement d'un pronom à l'autre pour que votre parole vire à l'acide, devienne âpre, sarcastique. Comme si le fait de vous exprimer en votre nom propre vous impliquait plus profondément dans la découverte de vous-même, et comme si vous cherchiez à vous prémunir — par l'humour, par la dérision — contre la gêne que cette découverte engendre.

Moi qui vous parle, monsieur, écoutez-moi bien est une variation sur le thème de la supériorité, thème qui décidément ne cesse de proliférer. « Je sais vivre, moi. Pour les cons, je suis sans pitié ». Et bien entendu, quant on est supérieur il est nécessaire de se protéger, de *ne pas se laisser envahir*. Posture défensive, de clôture, qui s'affirme ici sur le mode de la xénophobie et du racisme. Il y a trop d'étrangers. Je ne suis pas antisémite mais tout de même. Moi qui les connais...

Ces deux thèmes, formant un couple, s'entrelacent : on ne me la fait pas. J'accepte beaucoup mais il y a des limites. Je suis content de rentrer chez moi. Par ces propos vous entendez limiter les incursions des autres sur votre territoire, et limiter vos excursions hors de chez vous.

Émergent à nouveau les deux thèmes étroitement associés que sont *démerdard* et *frondeur,* ce dernier s'infléchissant vers un désir de dégagement : qu'on me laisse

---

— *Et si l'on passait du*
il au je... Je suis
Français...

je m'accuse, mon Père,
　　　　　/d'être Français
je cherche à être plus malin
　　　　　/que les autres
j'ai fait la guerre
avoir une planque
je me démerde
moi d'abord
je préfère mon style de vie
bien supérieur

j'en ai marre
je ne veux pas de contrainte
je traverse au feu rouge
je ne paye pas mes
　　　　　/contraventions
je ne mets pas ma ceinture
j'emmerde les gendarmes
je suis radin
je suis brillant
je suis sympa
je frime
pas sérieux mais sympa
et ça passe
il y a trop d'étrangers

tranquille dans mon coin puisque moi je ne demande rien à personne. Qu'on me foute la paix. Comme une rêverie d'anarchie passive et sans obligations.

Cette séquence contient un intermède bref mais dense, se reliant à l'espace du frivole : *et ça passe...* Et puis,

ON VA PAS SE LAISSER PRENDRE
LE PEU QUI NOUS RESTE !

sauf les étrangères...
j'ai un ami arabe
je ne suis pas antisémite
mais tout de même
moi qui les connais
comme les Arabes
je ne suis pas raciste
j'accepte beaucoup, mais il
/y a des limites
je ne voudrais pas que ma
/fille épouse un noir
je juge les autres
je ne les observe pas
je juge
on ne me la fait pas
pour les cons, je suis sans
/pitié
qu'on me foute la paix
je demande rien à personne

je sais vivre, moi
je n'ai pas de complexe
je ne bois pas du coca avec
/mes steaks
j'ai de l'éducation
je suis cartésien
je suis content de rentrer
/chez moi
mon pays est le plus beau
ça se mêle
je suis fier et je m'accuse
encore quelques bonnes
/choses, malgré tout

— *Encore quelques
bonnes choses...?
Lesquelles?*

mes enfants
baguette

30

elle se termine, on pourrait presque dire qu'elle s'étrangle, d'une façon imprévisiblement intense et douloureuse : comme si la dernière vague de propos boursouflés (« je sais vivre, moi... Mon pays est le plus beau... ») se brisait pour laisser place à une anxiété (« ça se mêle »), à une prise de conscience de la dualité du discours tenu (« je suis fier et je m'accuse ») et à un constat doux-amer (« encore quelques bonnes choses malgré tout ») qui tranche avec toutes les rodomontades.

Ces quelques bonnes choses qui restent encore malgré tout se répartissent en quatre tas. Le tas le plus gros ce sont *mes biens* (pipe et chien, femme et fauteuil) dont la liste renvoie toujours aux valeurs casanières. *Mon plaisir* est entièrement voué à la bouche (baguette, pinard). *Mes dons* vont tous du côté du féminin français (l'harmonie, la grâce). *Ma fierté,* enfin, va aux institutions culturelles prises dans un sens large (la Comédie Française et le Crazy Horse, l'enseignement supérieur). Le total de cette liste de « bonnes choses » met l'accent sur votre tendance à vouloir vous sentir propriétaire. Ces choses sont bonnes pour autant qu'elles soient miennes : mon, ma, mes...

famille	les économies
pinard	l'harmonie
boire	la décoration
gourmand	la grâce
gourmet	mon président
maison	les livres
ma résidence	la pêche à la ligne
chat et chien	l'apéro
ma pipe, mon chien	le PMU
ma femme, mon fauteuil	boire un pot
mes diplômes	Comédie Française
mes coups	Crazy Horse
mes conquêtes	ma secrétaire
mon confort	ma voiture
mon portefeuille	mes combines
ma voiture	mes relations
mes vacances	
mes combines	
l'enseignement supérieur	

... démerdard

je cherche à être plus malin que les
/autres

avoir une planque
je me démerde

... et ça passe

je suis brillant
je suis sympa
je frime
pas sérieux mais sympa
et ça passe

... moi qui vous parle, Monsieur, écoutez-moi bien

j'ai fait la guerre
moi d'abord
je préfère mon style de vie
bien supérieur
je suis brillant
je juge les autres
je ne les observe pas
je juge
on ne me la fait pas
pour les cons je suis sans pitié
je sais vivre, moi
je n'ai pas de complexes
j'ai de l'éducation
je suis cartésien

Je suis Français...

... pas se laisser envahir

il y a trop d'étrangers
sauf les étrangères
j'ai un ami arabe
je ne suis pas antisémite
mais tout de même
moi qui les connais
comme les Arabes
je ne suis pas raciste
j'accepte beaucoup, mais il y a des
/limites
je ne voudrais pas que ma fille épouse
/un noir
je bois pas du coca avec mes steaks
je suis content de rentrer chez moi

... frondeur

j'en ai marre
je veux pas de contrainte
je traverse au feu rouge
je mets pas ma ceinture
je paie pas mes contraventions
j'emmerde les gendarmes
qu'on me foute la paix
je demande rien à personne

... partagé

ça se mêle
je suis fier et je m'accuse
encore quelques bonnes choses
/malgré tout

32

... mon plaisir

baguette
pinard
boire
gourmand
gourmet
apéro
PMU
boire un pot

... mes dons

l'harmonie
la décoration
la grâce

... ma fierté

diplômes
coups
conquêtes
combines
l'enseignement supérieur
la Comédie Française
Crazy Horse
relations

...encore quelques bonnes choses

... mes biens

enfants
famille
maison
résidence
chat et chien
pipe et chien
femme et fauteuil
confort
portefeuille
voiture
vacances
économies
livres
pêche à la ligne
président
secrétaire
voiture

33

Deuxième partie
LE CORPS DU FRANÇAIS

4 – Les parties du corps

— **Et mon corps? Avec quelles parties du corps, moi, Français, j'ai le plus affaire? Commençons par faire une liste...**

le sexe
le cœur
la bouche
le nez
l'œil
l'oreille
la main
le pied
la tête

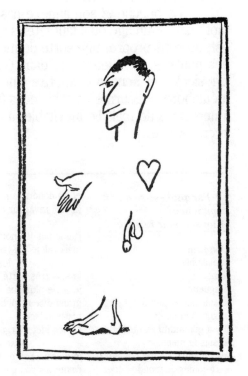

5 – *Le sexe*

Le sexe, premier nommé par vous — comme pour ne pas décevoir une attente, faillir à une réputation, trahir un stéréotype...

Mais le sexe vous « trahit » : il est étrangement absent de votre discours, lequel, d'ailleurs, tourne court, se débande abruptement.

Côté sexe, vous vous situez à la jonction de *supérieur* et de *guerrier*. Tombeur irrésistible. Don Juan ravageur. Mais l'image, à peine s'installe-t-elle, se fissure, et la dérision s'insinue dans le maigre filet de paroles : « les femmes du monde entier rêvent de moi ».

C'est qu'en fait, côté sexe, vous vous découvrez *partagé*, ni clair ni net : « je suis bon au lit... je devrais pas m'y risquer ». Vous exprimez le sentiment d'être à côté de votre sexe ou de l'avoir « en travers ». Tout se passe comme si le véritable sexe du Français, c'était sa bouche : « grand diseur, petit faiseur ».

La bouche *et* son annexe nasale, si l'on s'arrête au mot final : « un âge où il faut jeter sa gourme ». La gourme est, au sens propre, une sorte de morve qui atteint les jeunes poulains, et « jeter » a, dans l'expression qui date du XVIᵉ siècle, le sens d'« émettre une sécrétion ». Dans la métaphore, « gourme » assimile les frasques de la jeunesse à une sorte de maladie inévitable, à un stade déplaisant de la croissance.

— Par quoi est-ce qu'on commence?
Allons-y pour le sexe...

Don Juan
irrésistible
tombeur
dragueur
je sais parler aux femmes
je suis bon au lit
il y a quantitatif et qualitatif
je suis le meilleur
les femmes, ça me connaît
les femmes du monde entier
                    /rêvent de moi
je suis séducteur
mais je suis fidèle

et au dehors je m'aventure
je suis ravageur et fleur
                    /bleue
j'aime pas les noires
mais j'aime les créoles,
                    /les métisses
je suis très porté sur la chose
je parle plus que je ne fais
grand diseur, petit faiseur
marivaudage
j'ai les idées larges mais le
                    /sexe en travers
je devrais pas m'y risquer
j'aimerais pas que mes
                    /enfants
un âge où il faut jeter sa
                    /gourme

... supérieur/guerrier

Don Juan
irrésistible
tombeur
dragueur
je sais parler aux femmes
je suis bon au lit
il y a quantitatif et qualitatif
je suis le meilleur
les femmes ça me connaît
les femmes du monde entier rêvent de
/*moi*

je suis séducteur
et au dehors je m'aventure
je suis ravageur
j'ai les idées larges

... porté

je suis très porté sur la chose

... le guerrier désarmé

je parle plus que je ne fais
grand diseur, petit faiseur
j'ai les idées larges mais le sexe en
/*travers*
je devrais pas m'y risquer

Le sexe

... dans la tête

les femmes ça me connaît
j'ai les idés larges mais le sexe en
/travers

... le sexe dans la bouche (et le nez)

je sais *parler* aux femmes
je *parle* plus que je ne fais
grand *diseur*, petit faiseur
marivaudage
un âge où il faut jeter sa gourme

... partagé

séducteur *mais* fidèle
ravageur *et* fleur bleue
j'aime pas les noires *mais* les créoles,
/les métisses
je suis bon au lit
je devrais pas m'y risquer
je parle plus que je ne fais
grand diseur, petit faiseur
j'ai les idées larges *mais* le sexe en
/travers

39

6 – *Le cœur*

Ça ne marche pas mieux pour le cœur que pour le sexe. La production charrie tout un *bric-à-brac :* expressions toutes faites, jetées là hors de tout contenu et de toute émotion. Poncifs exsangues, vides de vie.

Le cœur, vous le branchez sur les institutions — celles qui sont le plus chargées de traditions et de sacré, donc les plus porteuses d'impératifs et d'interdits : *l'Église* (vecteur des bonnes œuvres), et *la patrie* (qui renvoie à la thématique guerrière). Avec l'une comme avec l'autre, le cœur est un organe de devoir. En quoi le cœur se rapproche du sexe puisque vous semblez considérer comme un devoir de vous montrer tombeur, séducteur.

En fait, le cœur n'est pas moins absent du paysage que le sexe. Dans les deux cas, la relation avec l'amour est presque inexistante. Vous avez « le cœur sur la main » et… « la poignée coupée » : *panne* révélatrice, comme l'est aussi cet aveu de fermeture : « tout ce que je vois m'écœu-

---

— *Allons-y pour le cœur...*

le cœur à gauche, le
/portefeuille à droite
le cœur sur la main
la poignée coupée
je donne aux bonnes œuvres
on ne fait pas appel à moi
/en vain
je suis généreux, tolérant
je le montre, d'ailleurs
à la messe le dimanche
côté bonne conscience
côté bonnes œuvres
tout ce que je vois
/m'écœure
cœur battant
la Marseillaise fait battre les
/cœurs
le cœur a ses raisons
toi et moi
le monopole du cœur
cœur chaud
cœur gros
gros sur le cœur

je suis de tout cœur
mon cœur est gros comme
/un camion
le moulin de mon cœur
le tambour fait battre le
/cœur
le cœur serré, lourd
les grandes idées
une grande mission
la patrie en danger
j'ai à cœur
le devoir est là
la grande cause nationale
la tendresse
la spontanéité
cœur sur la main
mal au cœur
égoïsme
le cœur qui flanche
tu me fends le cœur
joli cœur
crève-cœur
chaud au cœur
à cœur vaillant rien
/d'impossible
haut les cœurs !

40

re ». Rien d'étonnant à ce que, dans l'amoncellement des expressions toutes faites, il y ait une forte densité de mots douloureux : fend, flanche, crève... mal, lourd, gros, serré...

JE SAIS OÙ EST MON DEVOIR, SONIA.

... le bric-à-brac

le cœur à gauche, le portefeuille à droite
le cœur sur la main
cœur battant
le cœur a ses raisons
cœur chaud
cœur gros
gros sur le cœur
je suis de tout cœur
le cœur serré, lourd
cœur sur la main
mal au cœur
le cœur qui flanche
tu me fends le cœur
joli cœur
crèvecœur
chaud au cœur
haut les cœurs

... l'amour

toi et moi
le monopole du cœur
la tendresse
la spontanéité
égoïsme

... les pannes

le cœur sur la main...
... la poignée coupée
tout ce que je vois m'écœure

42

Le cœur

... les métaphores
mon cœur est gros comme un *camion*
le *moulin* de mon cœur
le *tambour* fait battre le cœur

... l'Église
et la patrie
je donne aux bonnes œuvres
on ne fait pas appel à moi en vain
je suis généreux, tolérant
je le montre, d'ailleurs
　　　　　　/à la messe le dimanche
côté bonne conscience
côté bonnes œuvres
la Marseillaise fait battre les cœurs
les grandes idées
une grande mission
la patrie en danger
j'ai à cœur
le devoir est là
la grande cause nationale
à cœur vaillant rien d'impossible

... ET POUR LES FEMMES, J'AI QU'À OUVRIR LA BOUCHE.

7 – La bouche

La bouche s'affirme, dès les premiers mots, à la fois comme le sommet et comme le centre de tout. Elle provoque un flot de paroles à la fois enthousiaste et dense, peu encombré de clichés. Le contraste avec le cœur, de ce point de vue, est saisissant. La bouche serait-elle le « cœur » du Français?

Organe principal servant d'entrée et de sortie, la bouche est un échangeur, le seul dirait-on presque, reliant le monde à vous, les autres à vous. C'est que « tout passe par elle, tout passe par là ». Orifice noble qui a ses traditions, son histoire. Organe d'attraction (« appâter par la bouche »), de communication, mais aussi de toucher, elle vous permet de vous manifester dans ce qui vous importe le plus : cela va du rire au cri de haine, du goût au dégoût, du baiser à la pensée : « juger par la bouche ». Sans votre bouche vous seriez « bouché », coupé du monde, et votre esprit serait coupé de votre corps. Privé de bouche, pas de passage.

Organe émetteur et récepteur, voie royale de communication... Mais quelle communication? La bouche n'est pas seulement un canal, mais aussi le lieu privilégié de la jouissance. Là est l'ambiguïté. Ce qui entre par la bouche (la baguette, le litron) est objet de consommation et de plaisir; et il en va de même pour ce qui sort de la bouche, sous la forme de rouspétance, éloquence, bagoût, baratin, paroles qui sonnent bien. Il semble que ce qui est émis par votre

---

— Allons-y pour la bouche...

le nirvâna
la bouche, tout passe par là
fine gueule
l'organe principal
grande gueule
gueule cassée
gueule de bois
bouffer/baiser
petite gueule
parler/bavarder
sourire

éructer
grincer
bouche en cul de poule
mal embouché
tout passe par elle
le cri de la haine et le sourire
on ne parle pas la bouche pleine
le visage français
et le baiser
et l'expression
une bouche
ses traditions
son histoire
tout sort de la bouche

TROUVE-Z-EN UNE DOUZAINE,
ET JE TE MONTRERAI CE QU'ON FAIT AVEC.

---

entrée et sortie
bouffer et dégueuler
rouspéter
consommer
éloquence
une bouche
un certain orifice...
le rouge à lèvres
juger par la bouche
passage entre l'esprit et le
/corps
tactile et parole
la parole s'envole
atteindre le Français
l'appâter par la bouche
rire gaulois
le coq, c'est une bouche

la joie française
le goût des discours
la chanson
donner sa parole
la baguette et le litron =
/bouche
la moustache
la gastronomie
retour à l'enfant
succion
Rabelais
érotisme buccal
le cigare
le mégot
le bec fin
la gitane
les gueules

46

bouche participe moins d'un élan vers l'autre que d'une gratification égocentrique : vous vous faites plaisir, c'est votre « nirvâna ».

Et avec votre bouche, vous vous identifiez parce que la bouche est, par excellence, *l'organe français* : « le coq, c'est une bouche ». Guerrier, le Français « va au casse-pipe » et revient « gueule cassée ».

Amoureux, le Français « fait une pipe » et parle de « bouffer - baiser ». Quand il rit, le Français est « gaulois ».

Vous pouvez presque tout faire avec votre seule bouche. C'est votre *organe polyvalent.*

— Et si l'on passait du
il *au* je... *Je* suis
bouche...

je suis mauvaise langue
j'ai le goût
le dégoût
j'ai du bagoût
des goûts
je m'écoute parler
racoleur
râleur
je prends la parole
pas laver trop
je me lave à l'alcool
je sais baratiner
des trous dans le cure-dent

je fonctionne bien
ça sonne bien
ça sort bien
j'ouvre la bouche pour vous
/dire quelque chose
on me dit de la fermer
je ne parle pas pour ne rien
/dire
trois fois tourner sa langue
le bouche-à-bouche
le secret
il est bouché
mauvaise haleine
mal aux dents
faire une pipe
aller au casse-pipe

... organe français

gueule cassée
le visage français
atteindre le Français
le coq, c'est une bouche
la joie française
rire gaulois
pas laver trop
je me lave à l'alcool
il est bouché
mauvaise haleine
mal aux dents
aller au casse-pipe

... organe émetteur

grande gueule
parler/bavarder
éructer
mal embouché
le cri de la haine et du sourire
et l'expression
on ne parle pas la bouche pleine
bouffer et dégueuler
entrée et sortie
tout sort de la bouche
rouspéter
éloquence
tactile et parole
la parole s'envole
le goût des discours
la chanson
je suis mauvaise langue
j'ai du bagoût
je m'écoute parler
racoleur
râleur
je prends la parole
je sais baratiner
ça sonne bien
ça sort bien
j'ouvre la bouche pour vous dire
                    /quelque chose
on me dit de la fermer
je ne parle pas pour ne rien dire
trois fois tourner sa langue
juger par la bouche

... organe principal

le nirvâna
la bouche tout passe par là
l'organe principal
tout passe par elle
ses traditions
son histoire
tout sort de la bouche
entrée et sortie
un certain orifice
passage entre l'esprit et le corps
appâter par la bouche
je fonctionne bien
ça sort bien
il est bouché

La bouche

... organe polyvalent

bouffer/baiser
petite gueule
sourire
grincer
bouche en cul de poule
le cri de la haine et le sourire
et le baiser
et l'expression
le rouge à lèvres
tactile et parole
rite gaulois
donner sa parole
la moustache
retour à l'enfant
succion
érotisme buccal
le cigare
le mégot
la gitane
le bouche à bouche
le secret
faire une pipe
juger par la bouche

... organe récepteur

fine gueule
gueule de bois
bouffer/baiser
on ne parle pas la bouche pleine
bouffer et dégueuler
entrée et sortie
consommer
la baguette et le litron
la gastronomie
Rabelais
le bec fin
j'ai le goût
le dégoût
des goûts

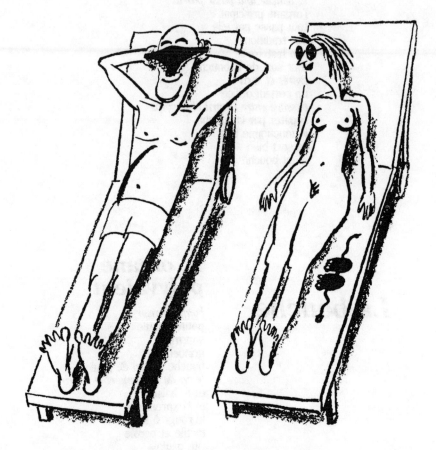

ALLEZ, ÇA SUFFIT, ON RENTRE.

8 – Le nez

Le nez provoque chez vous, comme la bouche, une forte et intense production de mots. La première impression est d'ailleurs que votre nez est le double de votre bouche, ou plutôt son petit frère et serviteur. A la fois, lui aussi, voie d'entrée et voie de sortie, il complète la bouche pour tout ce qui relève du plaisir alimentaire. C'est un accessoire précieux, mais sans fonction propre, semble-t-il. La charge d'émotion, évidente dans cette séquence, serait dérivée de celle suscitée par la bouche.

Première impression qui bientôt s'efface pour laisser place à une réalité plus nuancée. S'il est vrai que certains de leurs usages sont analogues (on coule du nez, on se cure le nez, on se mouche, comme on éructe ou dégueule par la bouche), il n'en reste pas moins que la fonction fondamentale de la bouche est d'émettre (le cri, le rire, la parole), alors que l'essentiel de l'activité nasale réside dans la réception.

Et la réception par le nez français, ça n'est ni simple ni limpide. En tout cas, ça vous passionne. Et là, plus rien à voir avec la bouche. La réception nasale, ça commence par une recherche. Le nez patrouille. On s'aperçoit qu'il est en quête de deux ordres de choses : une *connaissance* et une *jouissance*.

Et, tant dans l'ordre de la connaissance que dans l'ordre de la jouissance, deux modes d'emploi de l'organe s'opposent : ce qu'on pourrait appeler le *bon usage* et *l'usage trouble*.

— *Allons-y pour le nez...*	le nez crochu
	le pif
mettre mon nez où ça me /regarde pas	la connaissance par le pif
	intrusion
le parfum	le fouille-merde
le fromage	fouine
le vin	les dessous
la décomposition	se faire taper sur le museau
la fermentation	on se casse le nez
le nez fin	un coup dans le nez
mettre son nez dans les /idées des autres	couperose
	aimer bien renifler
avoir du flair	se curer le nez
la merde	je n'ai pas peur d'être grand

51

Le bon usage — côté connaissance — c'est « le nez creux » et « le nez fin » dont vous êtes doté : un organe subtil et sûr qui peut dire : « je suis le guide ». C'est le moyen d'aller « plus loin que le bout de son nez », vous « sentez les choses ».

Le bon usage — côté jouissance — c'est le plaisir que vous ne manquez pas de prendre aux senteurs, au parfum de la vie.

Mais c'est l'usage trouble qui occupe le gros du terrain, c'est lui qui constitue l'élément dominant du paysage.

Dans l'ordre de la connaissance, l'usage trouble, c'est tout ce qui tourne autour de la démarche indiscrète. Le nez est l'organe par lequel vous faites intrusion là où vous n'êtes pas invité, et par lequel vous enrichissez votre savoir d'informations qui ne vous sont pas destinées. Le nez est l'instrument français de l'aventure, et celle-ci est suspecte a priori. Il est l'instrument de la découverte et tout se passe comme si le seul fait de partir à la découverte déclenchait un réflexe de culpabilité. Vous veillez à ne pas vous faire « taper sur le museau » quand « vous mettez votre nez où ça ne vous regarde pas », par exemple « dans les idées des autres ».

Dans l'ordre de la jouissance, l'usage trouble c'est la délectation pour les choses qui fermentent. Le nez apparaît comme l'organe fortement sollicité d'une sexualité à base de reniflement; l'objet érotique appelé par le désir qui ici s'exprime est en décomposition, faisandé, empuanti; il participe des dessous, du négligé et du bidet, du miasme et de la merde; on veut fouiller dedans, fouiner. Le nez apparaît comme l'organe louche, inconvenant, mais combien actif dans l'imaginaire du Français en tant que « Gaulois » à la recherche du plaisir.

---

je fends le vent	faisandé
je fends le vin	empuanté
Cyrano	le gaulois
j'ai le nez creux	le bidet
aimer les odeurs, les	on passait dans la cour
/senteurs	le miasme et la jonquille
me sentir	je sens les choses
savoir sentir	on goûte avec le nez
je mets mon nez partout	l'argent n'a pas d'odeur
je sais goûter, sentir	les mélanges
je suis le guide	les sauces
plus loin que le bout de mon	les parfums = les nez
/nez	décomposer avec son nez
j'aime le négligé	renifler une affaire

52

Au pôle opposé, vous associez le nez à l'amour *courtois,* l'amour idéal, avec la métaphore du mouchoir de la belle que l'on prend, que l'on ramasse. Entre les deux pôles, c'est le vide — celui que l'on a constaté dans la séquence sur le sexe.

A observer une absence significative : le nez, dans cette production, n'apparaît jamais en tant qu'organe d'une fonction pourtant importante : la respiration. Le nez français sent, flaire, fouille, renifle, mais ni n'inspire, ni n'expire l'air. La respiration est une fonction d'échange avec le monde extérieur et son absence ici est à rapprocher du thème du confinement, de la clôture, précédemment rencontré.

En conclusion, le nez, dans le paysage des Français, occupe une place singulière : d'une part, dans une position ancillaire, il jouxte la bouche qui est l'organe central, souverain, solaire; d'autre part, il se sépare de la bouche pour remplir une fonction autonome à tonalité ténébreuse — celle d'un organe aventureux dont l'activité de connaissance et de jouissance, dans la mesure même où elle frôle l'illicite, l'inavouable, provoque un niveau élevé d'excitation. Le nez est un élément de pointe dans la libido française...

---

je me mouche dans la soie
mouchoir
le mouchoir dans la poche
ramasser le mouchoir
tournoi antique
prendre le mouchoir de la
                          /belle
coule du nez

... signe particulier

le nez crochu
je n'ai pas peur d'être grand
je fends le vent
Cyrano

... ce qui en sort

se curer le nez
je me mouche dans la soie
mouchoir
mouchoir dans la poche
coule du nez

... l'usage trouble...

... connaissance

mettre mon nez où ça ne me regarde
/pas
mettre son nez dans les idées des
/autres
intrusion
se faire taper sur le museau
je mets mon nez partout
décomposer avec son nez
renifler une affaire

... jouissance

le fromage
le vin
la décomposition
la fermentation
la merde
le fouille-merde
fouine
les dessous
aimer bien renifler
j'aime le négligé
faisandé
empuanté
le gaulois
le bidet
on passait dans la cour
le miasme et la jonquille
l'argent n'a pas d'odeur
les mélanges
les sauces

54

... courtois

ramasser le mouchoir
tournoi antique
prendre le mouchoir de la belle

... buveur

le vin
un coup dans le nez
couperose
je fends le vin

Le nez

... le bon usage...

... connaissance

le nez fin
avoir du flair
le pif
la connaissance par le pif
j'ai le nez creux
je sais goûter, sentir
je suis le guide
plus loin que le bout de mon nez
je sens les choses .
les parfums = les nez

... jouissance

le parfum
aimer les odeurs
les senteurs
me sentir
savoir sentir
on goûte avec son nez

AUSSI LOIN QU'ON REGARDE, SOLANGE,
IL N'Y A QUE NOUS.

9 – L'œil

Votre œil, vous le vivez moins comme un organe des sens que comme une arme de défense. Le thème de la *vigilance* domine, se reliant à des traits précédemment creusés avec force dans le paysage du Français vu par lui-même : casanier, possesseur, veillant sur ses biens, soucieux de ne pas se laisser envahir. L'œil est le judas à travers lequel vous surveillez les environs. Ou encore, vous lui conférez la fonction de vigie : grâce à lui, rien ne vous échappe. Il assure votre sécurité de façon préventive : « j'ai l'œil et le bon ». Dieu merci, l'œil vous garde. Organe de gardiennage. Organe policier.

Mais votre œil remplit aussi une fonction offensive, dans la mesure où, *guerrier et amoureux,* vous l'utilisez pour conquérir, séduire et posséder. Vous y allez de votre regard assassin, à moins que vous ne fassiez les yeux doux; d'une façon ou d'une autre, l'œil vous sert à allumer.

On ne peut qu'être frappé par l'absence à peu près complète de la fonction du regard en tant que tel — en tant qu'ouverture sur le monde et les autres, en tant que moyen d'accès et d'échange. De même que votre nez ne sert pas à respirer, votre œil ne sert pas à regarder. Ou alors, *le regard est tordu :* vous regardez de travers, en coin, par en-dessous, par derrière, vous regardez sans être vu. Cela fait penser à l'usage trouble que vous faites de votre nez. Le regard, ici, n'est ni simple ni direct. Il est biaisé par des motivations louches, des pulsions honteuses. Mais un

---

— Allons-y pour l'œil...

pas dans la poche
œil pour œil, dent pour dent
œil près de la bouche
j'ai l'œil
la méfiance
mon œil!
curiosité — le drame
voit tout
avoir à l'œil
regarder loin
bon pied bon œil
faire attention

allumé
meurtrier
regard assassin
    en-dessous
œillade pour les dames
le regard bovin
l'œil vif
l'œil français pétille
poutre dans l'œil
œil profond
plonge
perspicace
acéré
guerre

malaise plus général se dégage de votre confrontation avec votre œil. Comme si celui-ci, dans sa fonction première, gênait; comme si l'œil était fait *pour ne pas voir;* comme si le regard naturel était dangereux ou indécent, d'où le besoin

met en valeur
maquillage
faire les beaux yeux
    les yeux doux
se construire un regard
miroir de l'âme
pailleté
t'as de beaux yeux
œil brouillé
j'ai l'œil dans la tombe
je suis lucide
j'ai l'œil et le bon
je vois loin
    par derrière
    par en-dessous
un œil dans mon cligno
je sais regarder

l'œil artiste
    artificier
je juge avec ma culture
l'œil aiguisé qui ne se
        /trompe pas
l'œil d'art
suivez mon regard
je vous surveille
je tranche les yeux fermés
narcissisme
mon œil!
je m'en bats l'œil
vigie
l'œil, le nez, la bouche ne
        /trompent pas
ne pas se faire avoir
donc les avoir

de se « construire un regard ». Et puis, pourquoi regarder puisque, blasé, vous avez tout vu?

Alors, délaissant sa fonction propre, qui est d'être une des voies principales du sensible, l'œil se met *près de la bouche* et *au service de la tête* : vous jugez avec votre culture, et l'œil est un instrument aiguisé qui ne trompe pas. Dans cette fonction il n'a pas besoin d'être ouvert : vous tranchez les yeux fermés.

Il est un champ où votre relation à l'œil se fait plus détendue : c'est celui du *féminin français* : l'œil français est vif, il pétille, il met en valeur. C'est dans cet espace que résident le savoir-faire, la fonction artistique et artificière. Espace qui rejoint celui du frivole et du raffiné-jouisseur, où vous vous ébattez avec plaisir et liberté.

---

jamais désintéressé	regarder par derrière
regarde	allumer du regard
scrute	je vois ce que j'ai envie de
curieux	/voir
rideau	j'ai tout vu
judas	rien ne m'échappe
le mauvais œil	œil blasé : j'en ai vu!
maléfique	m'as-tu vu
t'as vu	déjà vu
regarder de travers	faut qu'on se voie
de haut	qu'on se fasse une bouffe
en coin	revu et corrigé
par en-dessous	à la revoyure!
mépriser du regard	au revoir
concupiscent	pas vu, pas pris
regard en coin	œil sur la ligne des Vosges
regarder sans être vu	

... vigilance

pas dans la poche
j'ai l'œil
la méfiance
mon œil!
voit tout
avoir à l'œil
faire attention
j'ai l'œil et le bon
je vois loin
      par derrière
      par en-dessous
un œil dans mon cligno
je vous surveille
mon œil!
vigie
l'œil, le nez, la bouche ne trompent pas
ne pas se faire avoir
rideau
judas
rien ne m'échappe

... près de la bouche

œil pour œil, dent pour dent
œil près de la bouche
l'œil, le nez, la bouche ne trompent pas
faut qu'on se voie
qu'on se fasse une bouffe

... attaque guerrière et amoureuse

bon pied bon œil
allume
meurtrier
regard assassin
œillade pour les dames
perspicace
acéré
guerre
faire les beaux yeux
faire les yeux doux
t'as de beaux yeux
l'œil aiguisé qui ne se trompe pas
ne pas se faire avoir...
... donc les avoir
jamais désintéressé
allumer du regard
l'œil sur la ligne des Vosges

... au service de la tête

perspicace
acéré
je suis lucide
je juge avec ma culture
l'œil aiguisé qui ne se trompe pas
l'œil, le nez, la bouche ne trompent pas

... regarder

je sais regarder
regarder loin
œil profond
plonge

... le féminin français

l'œil vif
l'œil français pétille
met en valeur
maquillage
se construire un regard
miroir de l'âme
pailleté
l'œil artiste
l'œil artificier
l'œil d'art

... l'œil pour ne pas voir

le regard bovin
poutre dans l'œil
se construire un regard
j'ai l'œil dans la tombe
je tranche les yeux fermés
le mauvais œil
maléfique
mépriser du regard
je vois ce que j'ai envie de voir
j'ai tout vu
œil blasé : j'en ai vu!
m'as-tu vu?
déjà vu
revu et corrigé
pas vu pas pris
narcissisme

L'œil

... le regard tordu

regard en-dessous
œil brouillé
regarder de travers
    de haut
    en coin
    par en-dessous
regard concupiscent
regarder sans être vu
    par derrière

... curiosité

pas dans la poche
curiosité — le drame
perspicace
scrute
curieux

10 – L'oreille

L'oreille française évoque surtout la surdité, ou la mauvaise écoute. Elle est *malentendante* : « t'es sourd ou quoi? Il n'est pire sourd que celui qui ne veut pas entendre. Nettoie-toi, t'es bouché à l'émeri ». Il apparaît que vous n'êtes pas davantage à l'aise avec elle qu'avec votre œil. L'usage que vous en faites est plus de *transgression* que d'accès simple et direct au monde extérieur. Vous avez l'oreille qui traîne, l'oreille qui draine des « on-dit » et des « qu'en dira-t-on », l'oreille complaisante.

Se trace ici un espace interdit, lieu de rencontre avec le regard tordu de l'œil et l'usage trouble du nez. Tout se passe comme si ces trois organes vous servaient à saisir le monde de façon clandestine. Leur usage direct est tabou, et vous procure la jouissance trouble de la violation des tabous. L'oreille, en plus, vous renvoie à une image précise : celle de l'enfant *coupable* à qui l'on tire l'oreille et qui a honte; l'enfant aussi qui a entendu ce qu'il ne faut pas entendre.

De jouissance sensible, pratiquement pas. L'oreille française capte peu de sons autres que la parole. Absents, les bruits de la nature, comme l'est la musique. Par contre, *cérébrale*, elle joue, au même titre que l'œil, le rôle d'appendice de la tête. Ce qu'elle vous transmet exige confirmation, mais elle sait filtrer. Comme l'œil, plutôt que de vous procurer un accès à l'extérieur, elle exerce une fonction de vigilance, elle veille.

— *Allons-y pour l'oreille...*

tout vu, tout entendu
pas tombé dans l'oreille d'un
/sourd
oreille complice
la puce à l'oreille
j'entends bien
sourd d'oreille
ça rentre et ça sort
dur de la feuille
mépris des malentendants
t'es sourd ou quoi?

écoute!
pire sourd que celui qui veut pas entendre
casse les oreilles
nettoie-toi
t'es bouché à l'émeri!
l'oreille fine
sensible
avoir de l'oreille
des sous-entendus
j'entends bien
j'ai compris
pas musicale
place à la parole
tout entendre

AH!

qu'est-ce que j'entends
       /comme conneries!
je chante faux exprès
c'est ma gloire
pouvoir sélectif : elle sait
                    /filtrer
écouter d'une oreille
entendre sans écouter
elle est parée
elle entend ce qu'il ne faut
                    /pas entendre
l'oreille qui traîne
        complaisante
elle exige confirmation

écoute du chuchotement
       des rumeurs
       des on-dit
       des qu'en dira-t-on
veille
taillée en pointe
sur laquelle est fixée un coq
sur laquelle est fixée un béret
collée
la punition : je tire l'oreille
on élève par l'oreille
bonnet d'âne
punition
honte

... supérieure

tout vu, tout entendu
qu'est-ce que j'entends comme
/conneries
pouvoir sélectif : elle sait filtrer

... parée

elle est parée
taillée en pointe
sur laquelle est fixé un coq
un béret
collée

... cérébrale

j'ai compris
pas musicale
la place à la parole
je chante faux exprès
c'est ma gloire
pouvoir sélectif : elle sait filtrer
exige confirmation

... transgression

des sous-entendus
elle entend ce qu'il ne faut pas entendre
l'oreille qui traîne
l'oreille complaisante
écoute des chuchotements
des rumeurs
des on-dit
des qu'en dira-t-on

... bien entendante

pas tombé dans l'oreille d'un sourd
oreille complice
l'oreille fine
l'oreille sensible
avoir de l'oreille
j'entends bien
tout entendre

L'oreille

... malentendante

sourd d'oreille
ça rentre et ça sort
dur de la feuille
mépris des malentendants
t'es sourd ou quoi?
écoute!
 pire sourd que celui qui ne veut pas
/entendre
nettoie-toi
t'es bouché à l'émeri
écouter d'une oreille
entendre sans écouter

...méfiante

la puce à l'oreille
elle exige confirmation
veille

... coupable

la punition : je tire l'oreille
on élève par l'oreille
bonnet d'âne
punition
honte

11 – Le pied

La valeur principale que vous attachez au pied est la sécurité. Le pied est *fiable*, et cet attribut vaut tant pour le mouvement que pour la station. Vous marchez, vous allez d'un pied sûr, sachant où vous mettez les pieds, avec prudence, et même en vous méfiant, après vous être au préalable bien chaussé. Vous savez où vous allez, vous gardez les pieds bien sur terre, et vous gardez la terre à vos semelles. Tel est l'élément de relief dominant, et il est d'une singulière cohérence : le pied ne court pas, ne s'aventure pas sur un sol inconnu; c'est un pied qui fait corps avec la terre, sa terre; un pied paysan.

D'importance presque égale dans le tableau, on trouve le pied *récalcitrant*, élément de relief opposé au précédent : ici se concentre votre résistance au mouvement. Un mot se tient à la croisée des deux thèmes et en assure la jointure : « méfiant ». Mot-clé, assurément, reliant deux modes de comportement des Français tels qu'ils se voient. Méfiant, soit vous mettez le pied en avant toute précaution prise, soit vous « ne marchez pas », et restez dans une attitude de fermeture à l'intérieur de votre enclos.

Même lorsque vous êtes en mouvement, vous ne laissez pas vos pieds improviser, c'est la tête qui dirige car il faut savoir où l'on va, où l'on met les pieds. Comme pour l'œil, comme pour l'oreille, l'élément cérébral affirme son hégémonie; les autres parties du corps lui sont asservies.

— Allons-y pour le pied...

pied sûr
prendre son pied
c'est pas le pied!
être mis sur ses pieds
ça marche, ça va
démarche
les pieds, c'est la démarche
mise à pied
bien sur terre
bien chaussé
élégante
racoleuse

sait prendre son pied
pied de la meilleure
                    /infanterie
chasseur à pied
pieds dans le plat
il sait toujours où il met les
                    /pieds
à côté de ses pompes
de la paille
garder de la terre à ses
                    /semelles
militaire
pied nerveux
petit pied

66

Vos aspects *guerrier* et *galant* sont présents : la fibre militaire vibre à l'évocation du pied, et celui-ci s'affirme, bien que modestement, en tant qu'objet érotique. Le couple guerrier-amoureux persiste, d'une partie à l'autre du corps, en tant qu'une des composantes permanentes de votre imaginaire.

Mais l'ambiance générale de ce paysage, c'est une peur latente. Vous inspectez et vous suspectez, tant vous craignez de « perdre pied »; vous collez à votre terroir, vous ne voudriez surtout pas décoller; le pied vous sert surtout par sa vertu d'adhérence.

---

pied lourd	pas me mettre n'importe où
pied-à-terre	je sais où je mets les pieds
clôture	je sens des pieds
· fermeture	on ne s'occupe pas de lui
mauvaise équipée	loin du cœur
moi, je ne marche pas	la tête qui dirige
la marche au pas, c'est dur	jouer comme un pied
on ne me fait pas marcher	la partie basse
pieds de plomb	domesticité
il sait où il va, où il est	valet de pied
méfiant	armée
pied sûr	
prudent	
pas très agile	

... fiable

pied sûr
être mis sur ses pieds
ça marche, ça va
les pieds, c'est la démarche
bien sur terre
bien chaussé
il sait toujours où il met ses pieds
de la paille
garder de la terre à ses semelles
méfiant
pied sûr
prudent
il sait où il va, où il est
je sais où je mets les pieds

... mal aimé

je sens des pieds
on ne s'occupe pas de lui
loin du cœur
la tête qui dirige
la partie basse
domesticité
valet de pied

Le pied

... galant

élégante
racoleuse
pied nerveux
petit pied

... *guerrier*

pied de la meilleure infanterie
chasseur à pied
militaire
armée

... *le tout-venant*

prendre son pied
c'est pas le pied
mise-à-pied
sait prendre son pied
pieds dans le plat
à côté de ses pompes
jouer comme un pied

... *récalcitrant*

pied lourd
pied-à-terre
clôture
fermeture
mauvaise équipée
moi je ne marche pas
la marche à pied c'est dur
on ne me fait pas marcher
pieds de plomb
méfiant
prudent
pas très agile
pas me mettre n'importe où

ON S'TÉLÉPHONE ET ON S'VOIT.

12 – La main

On ne s'étonnera pas du paysage extrêmement diversifié se déployant ici : dans la vie, à quoi la main ne sert-elle pas? A quel acte humain n'est-elle pas mêlée? A première vue, dans le foisonnement des thèmes qui s'entrecroisent, il n'en est aucun qui prenne une position dominante. En cheminant parmi ceux-ci, cependant, les « lignes de la main » apparaissent.

Le contact, d'abord. La main est un lien. Vous la tendez, vous la serrez, vous parlez avec, elle vous sert pour convaincre ou pour prêter assistance : vous donnez « un coup de main » — Il y a aussi de faux contacts : vous allez serrer des mains machinalement, façon de se mettre à la portée de l'autre, geste sans portée...

La main relie, mais aussi elle *divise,* pour autant qu'elle signalise la hiérarchie sociale : on reconnaît un paysan à ses mains, ou un travailleur manuel, comme on reconnaît un maître.

Votre main tend à être abstraite. On sent peu la main physique, sensible et motrice : prendre en main, tenir en main, avoir en main une situation, c'est *gouverner* les choses plutôt que faire des choses concrètement aves ses mains, comme par exemple fabriquer ou écrire ou manier un instrument, un appareil — rien de tout cela n'apparaît, sauf lorsque fugitivement vous affirmez mettre la main à la pâte ou posséder le tour de main. La main nourrit surtout

---

—*Allons-y pour la main...*	les Français souvent divisés
	/en mains
on la serre	main de maître
à la pâte	main paysanne
sur le cœur	coup de main
le baise-main	main d'artiste
palpe souvent	doigts de fée
on parle par la main, avec	la main = un tout
/les mains	une manière de s'assurer
on se tâte	de reconnaître
la poignée typique	qui vous représentez, qui
prendre en main	/vous êtes
prédateur	alliance
main de fer	chevalière

les métaphores qui vous assurent une domination sur l'événement, la maîtrise d'une foule, le maintien de l'ordre ou la mise en ordre.

Du reste, la main rejoint le pied dans l'arsenal qui vous pourvoit en moyens pour assurer votre *sécurité*. Mais,

MESSIEURS, J'AI LA SITUATION EN MAIN.

armoiries	avoir avoir avoir
main dans la main	on va serrer des mains
vérifie	se mettre à la portée
palpe	la main heureuse
elle juge, touche	le poing tendu
une petite main	le poing révolutionnaire
on passe la main	poing P.S.
rassurante	la main gauche ne doit pas
tout en main	/savoir ce que fait la droite
main tendue	j'ai le coup de main
je ne suis pas armée	comme j'ai l'œil
tour de main	le goût
le serment	avoir
faire main basse	être dégourdi

en plus, elle vous permet de *vous approprier* les choses, d'en devenir possesseur, d'augmenter vos biens.

Certes, il arrive à vos mains de *se salir.* C'est lorsque vous palpez de l'argent (car l'argent est honteux), ou lorsqu'elles traînent partout, ou encore quand la gauche fait mine d'ignorer ce que fait la droite. Thème qui se relie aux usages troubles du nez, de l'œil, et de l'oreille, aux zones interdites.

En fin de compte, malgré l'abondance des éléments de paysage, ce qui est ici le plus remarquable c'est l'absence de certaines fonctions de la main dont on pourrait penser qu'elles sont fondamentales : le travail, on l'a déjà dit, mais aussi la violence : l'absence de la main qui frappe est... frappante ! Le Français n'est pas guerrier de la main.

Autre absence : rien ici ne renvoie au thème « donner », alors qu'abondent les références à « prendre ».

Une quatrième absence parmi les grandes fonctions manuelles : celle de la caresse, qui n'apparaît qu'une fois et de manière ambiguë. « Qui bien maîtrise mieux caresse ». Dans le thème *amoureux,* les entrées se partagent entre les gestes participant de la galanterie conventionnelle (la main sur le cœur, le baise-main) et le tripotage (on palpe, on se tâte, jeux de mains jeux de vilains).

Votre main, pour conclure, vous la ressentez comme *un tout.* Elle est comme diffuse dans la personne et elle ne s'épuise pas dans la somme de ses usages. En même temps, elle est un tout troué d'absences, marqué par des vides. Vous avez avec elle une relation peu polarisée et d'identification flottante.

---

tactile	qui bien maîtrise mieux
toucher	/caresse
prendre	agressif
sentir	jeux de mains, jeux de
avoir en main	/vilains
un tiens vaut mieux	elle a les choses en main
la main heureuse	la situation en main
envie de convaincre	elle ne veut pas se salir les
de tenir	/mains
de maintenir	ça file entre les doigts
manuel = désobligeant	palper de l'argent
tenir en main	mes mains ne sont pas sales
la barre	et pourtant elles traînent
les rênes	/partout

... travailleuse

à la pâte
doigts de fée
une petite main
tour de main
j'ai le coup de main
comme j'ai l'œil
      le goût

... amoureuse

sur le cœur
le baise-main
palpe souvent
on se tâte
la main dans la main
palpe
elle juge, touche
qui bien maîtrise, mieux caresse
jeux de main, jeux de vilains

... sécurité

une manière de s'assurer
de reconnaître
vérifie
elle juge, touche
rassurante
le serment
envie de maintenir

... gouverner

prendre en main
main de fer
avoir en main
tenir en main
    la barre
    les rênes
qui bien maîtrise, mieux caresse
a les choses en main
la situation en main

... s'approprier

prédateur
faire main basse
avoir avoir avoir
avoir
prendre
un tiens vaut mieux
envie de tenir
    de maintenir

... division sociale

le Français souvent divisé en mains
main de maître
main paysanne
main d'artiste
qui vous représentez
qui vous êtes
manuel = désobligeant

... contact

on la serre
on parle par la main
                    avec les mains
la poignée typique
un coup de main
main tendue
je ne suis pas armé
on va serrer des mains
se mettre à la portée
envie de convaincre
agressif

La main

... se salir

la main gauche ne doit pas savoir ce
                    /que fait la main droite
elle ne veut pas se salir les mains
palper de l'argent
mes mains ne sont pas sales
et pourtant elles traînent partout

... un tout

la main = un tout
tout en main
être dégourdi
tactile
toucher
la main heureuse
prendre
sentir
envie de tenir
        de maintenir
ça file entre les doigts

... symbolique

alliance
chevalière
armoirie
le poing tendu
le poing révolutionnaire
le poing PS

13 – En résumé...

Voici qu'invité à « résumer » le chemin jusqu'à présent parcouru, vous accouchez en fait d'un paysage inédit, dont l'aspect se démarque de ce qu'on a vu jusqu'à présent, et surtout dont l'intensité émotionnelle dépasse tout ce qui a précédé. Une sorte d'événement se produit.

Certes, des éléments de relief resurgissent qui nous sont déjà bien familiers et qui composent la figure du « masculin français » : on vous retrouve *supérieur, méfiant et vigilant, casanier et possesseur, cérébral...* Mais là où la tonalité était jusqu'à présent largement dominée par l'auto-satisfaction, elle bascule ici dans l'angoisse. On assiste à un précipité de ce qui apparaît comme votre hantise secrète; n'en êtes-vous pas à vous agripper à une supériorité qui a perdu une grande partie de sa substance? Ne vous crispez-vous pas inutilement à vouloir défendre et protéger un acquis qui vous a d'ores et déjà filé entre les doigts? Ces questions ne sont pas posées explicitement, mais elles transpirent au travers de la totalité de cette production. Un humour noir affleure, qui traduit un malaise profond et comme un soupçon : celui d'être à la fois l'auteur et la victime d'une gigantesque duperie. La façon dont se termine la séquence est remarquable : il y a, dans les cinq dernières entrées, comme un sursaut, une bifurcation vers une issue possible, vers *l'ouverture*. Mais ça tourne court, la parole s'essouffle avant de décoller. Il y a là l'expression d'un souhait creux plutôt que d'un espoir fondé.

(à la reprise, suite au repas de midi du premier jour) — *Après cette halte, comment repartir? Faisons le point sur l'ensemble du chemin déjà parcouru. Moi Français, « en résumé »...*

le couple je sais/on m'a pas
j'ai
les sens servent à me faire
/une opinion

le côté concret, jouisseur
maîtrise
et méfiance
on ne m'a pas
on m'aura pas
mais on m'a eu
je suis méfiant : on ne
/m'aura plus
on ne me la fait plus
globalement, l'autre est
/inférieur
tous les sens sont en éveil
/pour le contrôle
la surveillance

Ce que vous exprimez dans cette séquence, qui est moins un « résumé » qu'un regard neuf sur le territoire déjà parcouru, c'est la découverte d'une faille. D'une *blessure*. Une blessure qui s'est refermée et qui suppure. Vous êtes un guerrier, oui, mais un guerrier blessé et qui dépense la

HONNÊTEMENT, ON DEVAIT GAGNER

fouille	qui me confortent
territoire	moi — je
terre	peur de l'autre
sédentaire	l'autre = ennemi
si la France dirigeait le /monde	= me rouler
	= méchanceté
la légitimité, c'est moi	l'autre est moins malin
moi, je sais	moins raffiné
sais voir	je vais le rouler
ai vu	la bouffe : ça ne trompe pas
entendu	le matériel c'est du sûr
touché	vivre
je sais	qu'ils aient le droit de vivre
je juge	je sais, donc je juge
plein de certitudes, de /préjugés	plus ça change, plus c'est la /même chose

majeure part de son énergie à panser ses plaies, à leur appliquer tout genre de baumes et d'élixirs. A compenser sa perte de puissance par des fantasmes. Ce qui vous amène, au lieu de rechercher un nouveau mode d'ouverture au monde, à vous rétracter dans votre coquille. S'exprime ici un complexe de défaite dont, pour l'heure, vous ne trouvez pas l'issue. On sent dans vos paroles une aspiration à dénouer cette situation que vous ressentez comme insupportable. Mais jusqu'à nouvel ordre, c'est par la dérision, par une façon de vous moquer de vous-même, que vous trouvez le moyen de vous supporter.

Moquerie qui, vers la fin de la séquence (« je sais donc je juge » jusqu'à « il y a toujours un dessous des cartes ») atteint une telle intensité que votre parole se fait poème... Cristallisation verbale d'une émotion, trace irrécusable d'un soulèvement affectif : l'événement de cette séquence.

---

c'est mon opinion
et je la partage
je me fie à mes traditions
si je perds, c'est les autres
si je gagne, c'est moi
si c'est l'autre, il a triché
si c'est l'autre, il a eu de la
          /chance
pas eu de chance
on ne veut pas s'être laissé
          /avoir
on a été trahi
on ne nous a pas dit
pas estimés à notre juste
          /valeur
on n'a pas perdu

on a été trahi
il y a toujours un dessous
          /des cartes
on fera mieux
on se console
auto-satisfait
spontané
généreux
dans l'accueil
ouvert
mais sans risque

... *l'ouverture*

spontané
généreux
dans l'accueil
ouvert

... *casanier-possesseur*

j'ai
territoire
terre
sédentaire
plus ça change plus c'est la même
/chose
je me fie à mes traditions
ouvert mais sans risque

... *la blessure*

on m'a eu, on m'aura plus
peur de l'autre
l'autre = ennemi
me rouler
je vais le rouler
si je perds, c'est les autres
si c'est l'autre, il a triché
il a eu de la chance
pas eu de chance
on veut pas s'être laissé avoir
on a été trahi
on ne nous a pas dit
on n'a pas perdu, on a été trahi
il y a toujours un dessous des cartes
on fera mieux
on se console

... *vigilance, méfiance, sécurité*

le couple je sais/on m'a pas
et méfiance
on ne m'a pas
on m'aura pas
mais on m'a eu
je suis méfiant, on ne m'aura plus
on ne me la fait plus
tous les sens sont en éveil pour le
/contrôle, la surveillance
fouille
peur de l'autre
l'autre = ennemi
= me rouler
= méchanceté
la bouffe ça ne trompe pas
le matériel c'est du sûr
on ne veut pas se laisser avoir
on a été trahi
on ne nous a pas dit
il y a toujours un dessous des cartes

... jouisseur-raffiné

le côté concret, jouisseur
l'autre est moins raffiné
la bouffe ça ne trompe pas
le matériel c'est du sûr

... supérieur

le couple je sais/on m'a pas
maîtrise
globalement l'autre est inférieur
si la France dirigeait le monde
la légitimité c'est moi
moi, je sais
sais voir
ai vu
entendu
touché
je sais
plein de certitudes, de préjugés
et me confortent
moi-je
l'autre est moins malin
         moins raffiné
je vais le rouler
je sais, donc je juge
c'est mon opinion
et je la partage
si je perds c'est les autres
si je gagne c'est moi
si c'est l'autre il a triché
         il a eu de la chance
pas estimés à notre juste valeur
on n'a pas perdu, on a été trahi
auto-satisfait

En résumé...

... cérébral

le couple je sais/on m'a pas
les sens servent à me faire une
                 /opinion
je sais
je juge
je sais donc je juge
c'est mon opinion

... partagé

ouvert...
... mais sans risque

81

VOUS SAVEZ, TOUT ÇA, ÇA SE PASSE
DANS LA TÊTE.

14 – ...Et la tête

La tête « couronne » l'édifice qui s'est construit avec les parties du corps que vous avez désignées comme ayant le plus « affaire avec les Français ». Comme dans le cas de la main, grande est l'abondance des thèmes, mais la différence est qu'ici trois éléments de relief dominent largement le paysage :

Cérébral, d'abord. La tête n'est guère perçue par vous en tant que visage, mais en tant que cerveau, et celui-ci fonde l'hégémonie française dans le domaine de l'intellect : la France est un pays de têtes, les Français ont de la tête et ils ont tout dans la tête. Aucun élément du Français n'est aussi important que sa tête. On voit bien ici que cérébralité et supériorité en arrivent à se confondre : la tête est la partie supérieure de l'homme, et la tête française est supérieure aux autres : forte, grosse, bien faite, pensante, productrice d'idées précises.

L'insulte, ensuite. La tête sert de support à une masse d'expressions peu flatteuses : tête de lard, tête à claque, tête de con, tête en l'air, etc. Cela peut surprendre, sachant que la tête se situe d'autre part au sommet de l'échelle des valeurs. Mais dans leur opposition, ces deux thèmes se renforcent. Il faut que la tête soit l'objet d'une singulière révérence pour que tout ce qui la fait dévier de son bon fonctionnement suscite pareille profusion de reproches.

— Il nous reste à en terminer avec le corps. Allons-y pour la tête...

tête de cochon
le Français fait la tête
cabochard
tête de lard
    de con
    de nœud
il s'insulte de la tête
tête = insulte
c'est une tête
une grosse tête

petite tête
la tête près du bonnet
tête en l'air
tête à claques
tête têtue
martel en tête
entêtée
il faut la tête bien faite et
          /non bien pleine
tête pensante
on ne sait plus où donner de
          /la tête
un mélange de têtes
un fromage de tête

La bouche, enfin. Il y a un phénomène d'identification entre la tête et la bouche. La tête n'est pas vécue comme un visage mais comme une « gueule », et ce mot, loin de comporter une connotation péjorative, apparaît comme le double sympathique et familier du mot « tête ».

ECOUTE, NORBERT, À TON AGE,
ON TIENT TÊTE À SON PÈRE.

pas de tête	il en a bien la tête !
un pays de têtes	une tête à ça
on nous la coupait (mauvais	la gueule française
/Français)	fort en gueule
le chef	grande gueule
beaucoup de chefs	méfiance vis-à-vis de la tête
combat de chefs	admiration pour la tête
multiplication des chefs	nostalgie
adore débattre	rester en tête
débat d'idées	être en tête
on cause bien	avoir de la tête
on se soulage et on boit	tête de linotte
la tête remplace l'action	c'est une tête ! admiratif
on prend facilement des	l'intonation
/vessies pour des lanternes	bonne tête = un bon con
la tête au carré	bonne gueule
expression péjorative	tête de lard
les intellectuels sont là	il l'admet
il a la grosse tête	il aime
tout est péjoratif	tête sur les épaules
une tête de Français	forte tête

La gueule est l'autre versant de « la tête française », elle est la tête non cérébrale, la tête qui cause et mange et boit. L'orifice. Du coup, la gueule médiatise le visage. C'est à travers la gueule que le visage parvient à entrer dans le paysage.

C'est grâce à votre tête que vous pouvez mener, commander, et vous êtes sans pareil pour débattre — ce qui est une façon de se battre et vous adorez ça; néanmoins le thème *guerrier* affleure à peine. Par contre, vous n'êtes pas mécontent de vous découvrir *buté*, et ce n'est pas par le seul effet des jointures linguistiques (têtu, entêté, cabochard). Il s'agit de la résurgence d'éléments de relief déjà rencontrés : frondeur, récalcitrant.

Les Français, dans l'ensemble, s'entendent bien avec la tête. Vous êtes à l'aise avec elle, vous vous reconnaissez en elle, y compris dans sa dimension « insultante » qui pimente plutôt la relation. Il y a cependant deux éléments de relief qui apportent une discordance dans ce paysage paisible : comme un soupçon que la tête est un *substitut à l'action,* « la tête remplace l'action »... Être « tout dans la tête » dissimule peut-être quelque carence au plan du « faire »... Et puis, de façon plus diffuse, une *angoisse :* auriez-vous « perdu le manche »? Où donc allez-vous vous jeter « la tête la première »?

---

une idée bien précise	quelle tête il a
pour sortir de son idée...	une idée a bonne gueule
borné	on fait la gueule
tête de cochon	quelle gueule a la situation...
perdu le manche	un gueulard
tout dans la tête	gourmet et il gueule
obstiné	une gueule
jaloux des autres	il râle
on se paye la tête	grognard
on se sent inférieur	orifice
une bonne tête	qui dégueule
juge sur la tête	cabochard
jure sur sa tête	tête la première
chasseur de têtes	l'élément le plus important
on cherche des têtes	ils ont de la tête
la tête de l'emploi	on reconnaît un Français à
la note de gueule	/sa gueule
trombinoscope	la gueule du Français
on juge la tête et la gueule	
à la gueule du client	
quelle gueule il a	

... mener, commander

le chef
beaucoup de chefs
combat de chefs
multiplication des chefs
rester en tête
être en tête
chasseur de têtes
on cherche des têtes

... l'angoisse

martel en tête
on ne sait plus où donner de la tête
on prend facilement des vessies pour
/des lanternes
nostalgie
perdu le manche
jaloux des autres
on se sent inférieur
la tête la première

... l'insulte

tête de lard
    de con
    de nœud
il s'insulte de la tête
tête = insulte
petite tête
tête en l'air
tête à claque
pas de tête
expression péjorative
il a la grosse tête
tout est péjoratif
une tête de Français
il en a bien la tête
une tête à ça
tête de linotte
bonne tête = un bon con
tête de lard
il l'admet
il aime
on se paie la tête

... Et la tête

... cérébral

c'est une tête
une grosse tête
il faut la tête bien faite et non bien pleine
tête pensante
un pays de têtes
adore débattre
débat d'idées
les intellectuels sont là
méfiance vis-à-vis de la tête
admiration pour la tête
avoir de la tête
c'est une tête! admiratif
tête sur les épaules
une idée bien précise
pour sortir de son idée
borné
forte tête
tout dans la tête
l'élément le plus important
ils ont de la tête

... il y a
tête et tête

un mélange de têtes
on nous la coupait (mauvais Français)
une tête de Français
la gueule française
une bonne tête
juge sur la tête
la tête de l'emploi
la note de gueule
trombinoscope
on juge la tête et la gueule
à la gueule du client
on reconnaît un Français à sa gueule
la gueule du Français

... la bouche

tête de cochon
tête de lard
fromage de tête
adore débattre
on cause bien
on se soulage et on boit
la gueule française
fort en gueule
grande gueule
l'intonation
bonne gueule
la note de gueule
on juge la tête et la gueule
à la gueule du client
quelle gueule il a
une idée a bonne gueule
quelle gueule a la situation
un gueulard
gourmet et il gueule
orifice
qui dégueule

... substitut
à l'action

on cause bien
on se soulage et on boit
la tête remplace l'action
tout dans la tête

... buté

tête de cochon
le Français fait la tête
cabochard
la tête près du bonnet
tête têtue
entêtée
pour sortir de son idée
tête de cochon
obstiné
on fait la gueule
il râle
grognard
cabochard

... guerrier

combat de chefs
adore débattre
la tête au carré

15 – Coup d'œil en arrière sur les parties du corps

Interpellé sur les parties du corps avec lesquelles vous avez le plus affaire, vous en avez désigné neuf, puis vous êtes entré « en production » sur chacune d'elles successivement.

Le SEXE et le CŒUR ont été désignés en premier, sans doute parce qu'il va de soi, dans l'image stéréotypée que vous avez de vous-même, que ces deux organes occupent une situation prééminente. Or, dans ces deux cas, la production s'est avérée faible, tant quantitativement qu'en force et vérité de parole. La parole est encombrée de clichés, d'abstractions, d'idées reçues. Ni le cœur ni le sexe *ne se sont présentés,* et le stéréotype a reçu ainsi un démenti cinglant. Ce à quoi nous assistons là est comme une coupure de courant entre vous et ces deux organes, qui est à mettre en rapport avec *la blessure* dont la réalité est apparue par la suite (séquence 13). Héritier d'une double et séculaire tradition de conquête, tant guerrière qu'amoureuse, vous ne pouvez pas raccorder celle-ci à la relative déperdition de force et de netteté qui a marqué l'histoire de la France au cours, disons, des cinquante dernières années. Vous vous sentez en souffrance, laissé pour compte par votre histoire. Vous souffrez d'un sentiment diffus de mutilation, de perte de puissance, que vous compensez de différentes façons, mais qui a pour effet de bloquer votre énergie vitale — sexuelle et affective.

En corrélation avec ce blocage, on assiste à l'hypertrophie de votre BOUCHE, celle-ci donnant lieu à une production à la fois abondante et extraordinairement intense. Aucun doute : la bouche est promue au rang d'organe central de votre corps, source principale d'activité et de jouissance. Régression orale, peut-on avancer comme hypothèse, qui a pour effet de « déplacer » votre façon de vous manifester, de l'action conquérante à l'émission de mots et de l'échange à l'ingestion. Votre NEZ, lui aussi, est bien présent, il provoque une production de forte densité, mais sa présence est avant tout celle d'un complément à votre bouche; ce qu'il ajoute, c'est un certain piment dans la jouissance orale, et un mode de contact avec l'extérieur, fortement ambivalent : *sentir/renifler.*

Avec votre ŒIL et votre OREILLE, le paysage tend à confirmer ce qui est apparu avec le sexe et le cœur. L'œil est *pour ne pas voir,* l'oreille est *malentendante,* il y a

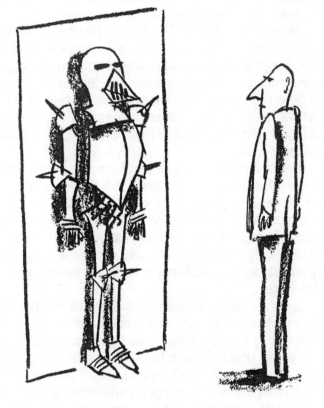

bouchage des ouvertures, ou alors celles-ci sont gênées, peu franches (*le regard tordu, transgression*); ces deux organes ne remplissent pas leur fonction première mais se font les serviteurs de votre TÊTE (l'œil *juge,* l'oreille *cérébrale*), ou remplissent des fonctions policières (*vigilance, méfiance*). On ne peut pas dire que votre œil et votre oreille ne se soient pas présentés. Mais ils se sont présentés dans des fonctions accessoires et ceci concourt à la constatation d'un « déplacement ».

La perte d'élan, d'énergie vitale, a pour effet une rétraction dans le connu, dans le sûr, et c'est la principale fonction de votre PIED, c'est aussi une des fonctions de votre MAIN, que d'assurer votre *sécurité*, de rendre les choses fiables — de conjurer toute espèce de menace. La dimension érotique, dans les deux cas, est atrophiée, comme l'est la fonction du mouvement, et notamment du « mouvement vers » (la rencontre, le don). Guerrier blessé, vous êtes immobilisé, vous vous terrez.

Mais il y a votre TÊTE. Et si la bouche est l'organe central (moteur de l'activité et de la jouissance réelle), la tête est l'organe du haut, dans lequel vous vous projetez *(supérieur)* faute de vous projeter au dehors et vers les autres dont *vous avez peur* (séquence 3). La tête et la bouche ont partie liée. Dans l'état actuel des choses, vous vous voyez fonctionner avec la combinaison bouche-tête comme véhicule principal.

Reste à ajouter un commentaire sur les parties du corps avec lesquelles vous n'avez *pas* le plus affaire. En dehors du sexe et du cœur, toutes les parties désignées appartiennent aux extrémités, et l'on a vu que sexe et cœur ont usurpé leur présence sur votre liste. Ce qui est absent, c'est votre corps lui-même ou son milieu : le sexe et le cœur, mais aussi les poumons, le torse, le ventre, les jambes, les bras...

Il n'y a sans doute pas de conclusion à en tirer, mais une observation : vous ne vous sentez pas « corporel », vous n'habitez pas votre corps mais l'ignorez; vous vous en détournez, au profit de la tête (œil, bouche, nez, oreille compris) et des extrémités que la tête peut le mieux contrôler. On peut voir là un signe supplémentaire de votre désir de vous cantonner dans un territoire sûr, familier, balisé, maîtrisé; un signe de votre peur devant l'inconnu, l'imprévisible, l'inattendu... la vie.

Troisième partie

LE FRANÇAIS ET LES AUTRES

16 – Le Français
à l'étranger

Vous voici à l'étranger et vous vous regardez dans le miroir. Qui voyez-vous? Un homme semblant, avant tout, *seul et replié sur lui-même*, figé dans une attitude presque entièrement négative : il ne fait pas l'effort de comprendre, il n'observe pas, il ne se met pas à la place de l'autre; secret, il ne communique pas et se retranche dans son quant-à-soi.

A l'étranger, dites-vous, « tous les Français sont seuls ». En effet, vous vous isolez non seulement des habitants du pays qui vous reçoit, mais encore de vos compatriotes qui comme vous se sont déplacés pour y traiter des affaires. Fermeture aux autres, fermetures aux vôtres... Pourquoi? Tout se passe comme si, le pays étranger étant a priori un lieu hostile et semé d'embûches, votre réflexe premier était de vous tenir *sur vos gardes*, l'ennemi pouvant prendre tantôt l'apparence d'un indigène posté en embuscade, tantôt celle d'un concitoyen ourdissant des plans pour vous coiffer au poteau. Votre souci est avant tout de ne pas vous faire rouler ou prendre à revers, de telle sorte que vous suivez de préférence les chemins battus : les risques d'agression y sont moindres; ce qui n'empêche que vous avancez raide, méfiant, et surtout sans parler : on pourrait vous entendre... Cette démarche guindée n'est évidem-

---

— *La gueule du Français... Quand il est en voyage d'affaires à l'étranger, à quoi est-ce qu'on le reconnaît?*

on sent le Français dans le
/hall
Français isolé
les Japonais sont nombreux
le Français tout seul
homme-orchestre
tous les Français seuls
les autres sont en délégation
à deux, ils se bouffent le nez

prise de bec
Français seul dans un bar
seul
la gueule française ne vend
/pas
il séduit
il charme
il bouffe
s'il peut, il baise
à l'étranger : timide
pas chez lui
il parle pas la langue
les autres ne parlent pas
/français
comme tout le monde

93

ment pas plus propice à la bonne conduite de votre mission qu'à l'éclosion du moindre plaisir à vous trouver ailleurs. En fait, vous éprouvez l'angoisse de n'être *pas chez vous,* et en négatif c'est le thème casanier qui réapparaît : inhibé, complexé, désemparé, pas à l'aise, à l'étranger vous recomposez votre coquille.

Votre coquille, c'est le sentiment que vous éprouvez d'être *supérieur.* Là est votre refuge et votre soulagement : vous vous rengorgez, vous en imposez et vous ricanez, hautain et déçu de ce que votre supériorité ne soit pas reconnue; alors, vous ne pensez plus qu'à « ne plus refoutre les pieds à l'étranger ». Entre temps, vous ne voyez que les désagréments de votre situation et les défauts de vos hôtes : *frondeur,* vous râlez et ronchonnez, cherchez en vain un steak frites (*la bouche*), répugnez à vous intégrer, ce qui fait qu'on « sent un Français dans le hall » (*le nez*).

Au bilan, l'étranger, pour le Français qui s'y rend afin d'y mener une action, c'est nulle part. C'est le désert. Un désert miné. Paysage périlleux et aride, désolé, qui pour l'heure ne paraît rien d'autre qu'accablant. Deux thèmes cependant, bien que peu appuyés, viennent apporter une note plus positive. Du fait que vous êtes seul, force

---

France = pays	2 capitaines coulent un
/de l'auto-suffisance	/navire
le Français arrive avec ses	on impose
/conflits	on en impose
commercial contre	pas collectiviste
/technique	tête-à-tête
les Japonais se surveillent	seul
/les uns les autres	surtout pas parler
les Allemands s'aident les	secret
/uns les autres	méfiant
les Français s'attaquent les	pas parler
/uns les autres	garder secret
outrecuidance	réflexe naturel
se croit	il va me prendre
le généraliste	la salle de classe
réaliste	la cour de récré
râliste	pas me faire rouler
complexé	sur la défensive
pas déléguer	quant-à-soi
pas partageur	tous les Français à une table
tribu gauloise	le soir au fond des bars
les maîtres	désemparé
les chefs	ne pas aller voir
l'individu fort	ne pas sourire
la hiérarchie verticale	ronchonne

vous est d'être un homme-orchestre, capable d'appréhender froidement toutes les dimensions d'un problème. Généraliste et réaliste, vous vous montrez *homme de tête*. Mais surtout, bien que d'ordinaire vous ayez négligé de vous préparer à votre mission, eh bien, vous séduisez... Vous exercez un charme indéniable et, en improvisant, vous réussissez vos coups. Dommage, simplement, que vous ne prolongiez pas votre action, que vous négligiez le suivi. Résurgence du *féminin français* avec ses deux faces : frivolité et séduction.

MOI, JE PARS BATTU D'AVANCE, COMME ÇA
JE N'AI PAS DE MAUVAISES SURPRISES!

---

ah, si c'était...
dit du mal de la bouffe
cherche un steak-frites
juge
n'observe pas
généralise
compare
on est quand même bien
/chez nous
il râle
resquille
peur de se faire rouler
pas l'effort de comprendre
ne veut pas s'intégrer
moqueur
hurlement de rire
ricane
ça crie
niveau de décibel
ne se met pas à la place
ne comprend pas
hautain
suivent les sentiers battus
pas très à l'aise
dans la jungle

n'aime pas voyager
bourré de contradictions
pantouflard
peur
improvisateur
ne se prépare pas
mais réussit ses coups
mais pas prolongé
un peu seul
raide
Français déçu
il part pour être reconnu
son pays inconnu
revient la queue entre les
/jambes
déçu
pas glorifié
vous ne connaissez pas la
/France et les Français
pas le nombril du monde
pas préparé
plus refoutre les pieds à
/l'étranger

... seul, et replié sur lui-même

Français isolé
les Japonais sont nombreux
le Français tout seul
tous les Français seuls
les autres en délégation
Français seul dans un bar
seul
le Français arrive avec ses conflits
commercial contre technique
les Français s'attaquent les uns les
/autres
pas partageur
tribu gauloise
2 capitaines coulent un navire
pas collectiviste
seul
surtout pas parler
secret
quant-à-soi
tous les Français à une table
le soir au fond des bars
n'observe pas
pas d'effort de comprendre
ne veut pas s'intégrer
ne se met pas à la place
ne comprend pas
un peu seul

... frondeur

râliste
ne pas sourire
ronchonne
ah, si c'était...
dit du mal de la bouffe
il râle
resquille

... homme de tête

homme-orchestre
le généraliste
réaliste
tête-à-tête
juge
n'observe pas
généralise

... le nez

on sent le Français dans le hall
à deux ils se bouffent le nez
prise de bec
improvisateur

... la bouche

la gueule française ne vend pas
il bouffe
dit du mal de la bouffe
cherche un steak-frites
ça crie
niveau de décibel

... le féminin français

il séduit
il charme
improvisateur
ne se prépare pas
mais réussit ses coups
mais pas prolongé
pas préparé

... supérieur

France = pays de l'auto-suffisance
outrecuidance
se croît
les maîtres
les chefs
l'individu fort
la hiérarchie verticale
on impose
on en impose
moqueur
hurlement de rire
ricane
hautain
déçu
il part pour être reconnu
son pays inconnu
revient la queue entre les jambes
déçu
pas glorifié
vous ne connaissez pas la France et
/les Français
pas le nombril du monde

Le Français à l'étranger

... pas chez lui

à l'étranger, timide
pas chez lui
il parle pas la langue
les autres ne parlent pas français
complexé
désemparé
ne pas aller voir
compare
on est quand même bien chez nous
pas très à l'aise
dans la jungle
n'aime pas voyager
bourré de contradictions
pantouflard
plus refoutre les pieds à l'étranger

... sur ses gardes

surtout pas parler
secret
méfiant
pas parler
garder secret
réflexe naturel
il va me prendre
la salle de classe
la cour de récré
pas me faire rouler
sur la défensive
peur de se faire rouler
suivent les chemins battus
peur
raide

17 – *Je suis en voyage à l'étranger*

Le passage à la première personne a pour effet de vous déchaîner... Vous procédez ici à une satire de vous-même qui va jusqu'au bout de la férocité. Le portrait s'articule en six traits :

Imprévoyant, d'abord. On dirait presque que vous vous trouvez là-bas au loin par accident... C'est qu'il vous a semblé superflu de le préparer, ce voyage. Alors, n'étant pas informé, il ne vous reste qu'à improviser... Ce que vous supposez pouvoir faire sans difficulté, vu votre supériorité naturelle... Hélas, arrivant à destination, au contact des réalités, vous vous découvrez empoté et impotent.

Du coup, vous reconstituez dans votre hôtel vos mœurs *casanières* : vous vous y terrez, attendant là vos rendez-vous. Ce qui a l'avantage de vous éviter d'être suivi et de vous faire attaquer; on n'est jamais assez *méfiant.*

Et pourquoi sortir puisque l'étranger c'est laid, ça sent mauvais, « c'est la merde », en un mot c'est « étrange »... Tout ce qui sort de votre cadre de référence habituel vous paraît a priori *négatif.*

Donc dans votre hôtel (qui est pourri et où la bouffe est dégueulasse) vous vous réfugiez dans un bain moussant et vous vous dépêchez d'appeler votre femme à l'autre bout du monde — mais c'est la société qui paye. Vite le téléphone pour la rassurer : « ne sois pas inquiète! ». Le fil du

---

— Et si l'on passait du « il » au « je »? Moi Français voyageant pour affaires à l'étranger...	je suis là par accident
	improvisé
	l'étranger = l'étrange
	= le laid
	je trouve dommage
je ne sais pas dire bonjour	que
je ne connais pas l'hôtel	et que
je ne sais pas comment /commander un plat	et que
	c'est non, là!
je ne suis pas préparé	pas informé
je ne sais pas qui va /m'accueillir	pas comme nous
	ils écrivent à l'envers
je ne connaîs pas les us et /coutumes	des sauvages
	pas marrant pour nous

téléphone est votre cordon ombilical, vous ne pensez qu'à rentrer vite! Rentrer! Retrouver votre coin *douillet*!

Quand même, vous devez vous soucier de votre image. Alors vous méditez le discours que vous tiendrez au retour : quoi! vous avez posé des jalons... On vous a donné de mauvaises indications... L'essentiel est de justifier le probable échec de l'expédition, de sauver la face par un récit d'exploits hélas contrariés par d'incontournables obstacles (*fanfaron*).

Dans cette séquence, aucun thème positif ne vient troubler l'harmonie noire, calcinée, du paysage. Au point qu'il vous faudra vous interroger : ne vous seriez-vous pas laissé emporter à lacérer votre propre image dans une sorte de furia masochiste? N'y a-t-il pas un autre côté des choses?

---

serais-je suivi?
pas de femme
jamais à l'heure
je vais me faire attaquer
l'étranger, ça sent mauvais
c'est la merde
il ne comprend rien
vivement que je rentre!
home
sweet home
rentrer vite... rentrer
vite le téléphone
télex à la boîte : je rentre
j'ai posé des jalons
on m'avait donné de
/mauvaises indications
recordman du monde du
/coup de fil téléphonique
je suis bien arrivé
c'est l'exploit!
il fait chaud

la bouffe est dégueulasse
un hôtel pourri
ne sois pas inquiète
je regarde la T.V.
je suis parachuté
je reste à l'hôtel
un bain moussant
on parle des hôtels
restaurant de l'hôtel
ne visite pas du tout
attend ses rendez-vous
peur
ne pas sortir de l'hôtel
invite à l'hôtel
n'attend pas au R.V.
critique le retard
se met dans des états
mais lui n'est pas à l'heure
réputation de retardataire
oh la la est grand!

... casanier

je reste à l'hôtel
on parle des hôtels
restaurant de l'hôtel
ne visite pas du tout
attend ses rendez-vous

... douillet

vivement que je rentre
home sweet home
rentrer vite... rentrer!
vite le téléphone
télex à la boîte : je rentre
il fait chaud
la bouffe est dégueulasse
un hôtel pourri
ne sois pas inquiète
je regarde la TV
je reste à l'hôtel
un bain moussant
se mettre dans des états

Je suis
en voyage
à l'étranger

... imprévoyant

je ne sais pas dire bonjour
je ne connais pas l'hôtel
je ne sais pas commander un plat
je ne suis pas préparé
je ne sais pas qui va m'accueillir
je ne connais pas les us et coutumes
je suis là par accident
improvisé
pas informé
pas de femme
je suis parachuté

100

... négatif

l'étranger = l'étrange
= le laid
je trouve dommage que
et que et que
c'est non, là!
pas comme nous
ils écrivent à l'envers
des sauvages
pas marrant pour nous
jamais à l'heure
l'étranger ça sent mauvais
c'est la merde
il ne comprend rien
n'attend pas au rendez-vous
critique le retard
mais lui n'est pas à l'heure
réputation de retardataire
oh la la est grand

... fanfaron

j'ai posé des jalons
on m'avait donné de mauvaises
/indications
recordman du monde du coup de fil
/téléphonique
je suis bien arrivé
c'est l'exploit

... méfiant

serais-je suivi?
je vais me faire attaquer
peur
ne pas sortir de l'hôtel
invite à l'hôtel

WHOA!... QUAND JE DIRAI A MIMILE
LE PRIX DU BEAUJOLAIS!

18 – *Je suis en voyage à l'étranger* (II)

Ici s'observe un phénomène caractéristique du cheminement que prend votre découverte de vous-même. Invité, après un excès apparent de pessimisme, à aller voir s'il n'y a pas « un autre côté des choses », vous vous ressaisissez et avec docilité vous inversez votre production de parole dans le sens de thèmes favorables, positifs; et puis, insensiblement, comme sous le pouvoir d'un aimant, vous virez, pour retourner aux lignes dominantes du relief d'origine...

Au fait, pour quelle raison vous trouvez-vous en voyage d'affaires à l'étranger sinon pour conquérir des marchés, arracher des commandes de haute lutte? Le thème du Français guerrier, pourtant présent presque constamment lorsqu'il s'agissait de votre vision abstraite de vous-même, dans les premières séquences, s'est complètement effacé au moment où on l'attendait, c'est-à-dire dans des circonstances concrètes. Voici cependant qu'il refait surface, à la faveur de l'inversion sollicitée, mais sous la figure un peu particulière du *guerrier solitaire*. Image qui évoque le chevalier errant, amoureux des risques, tenté par l'aventure, chevauchant, seul et tenace, en quête de défis et de situations désespérées. Vous vous ébattez là dans un imaginaire qui est aux antipodes d'un comportement opérationnel adapté aux situations réelles du monde d'aujourd'hui.

— ***Est-ce qu'on peut voir l'inverse? Ce qui va bien...***

je m'acclimate
réagir à l'imprévu
tenace
seul
esprit de synthèse
je prends seul mes
      /responsabilités
généraliste
prend l'ensemble du
      /problème

bâtir des relations
      /personnelles
bon dans le tête-à-tête
se trouver des points
      /communs
se lier d'amitié
il a ses têtes
séducteur
il arrive à en oublier qu'il est
      /Français
bon convive
gai
facile à vivre
côté latin

Vous vous déclarez *liant*, à l'appui de quoi vous affirmez que vous vous acclimatez, que vous êtes bon dans le tête-à-tête, mais c'est dit du bout des lèvres, d'une voix maigrelette, répétitive. Vous vous arrêtez davantage sur l'aspect *féminin français* de votre personnalité, mais il se produit, dans le parcours de ce thème, une torsion inattendue : heureux de vous percevoir bon convive et séducteur, gai et facile à vivre, doué de fantaisie et d'imagination, de don d'improvisation et de finesse — et vous notez que vous êtes plus fin que votre rival allemand — voici que vous dérivez dans une évocation du contraste de votre personne avec celle de l'Allemand, pourvu, lui, de tous les attributs de la virilité — évocation qui vous est humiliante, douloureuse.

L'irrésistible retour au paysage d'où vous êtes parti se déclenche avec les entrées : « pas de connaissance du pays, inconscience... Il ne savait pas que ça existait », et se manifeste par le surgissement de thèmes identiques ou comparables à ceux qui avaient donné aux deux séquences précédentes leur couleur dominante : *pas préparé, pas efficace, mal à l'aise, fanfaron.* Le soldat faisant campagne à l'étranger au service de son entreprise et de son pays? Parlez m'en! Il n'a qu'une envie : rentrer chez lui. Au fait, n'aurait-il pas mieux fait de rester chez lui? Votre réquisitoire contre vous-même est impitoyable. Ce qui en ressort, c'est que vos attitudes profondes d'aujourd'hui, de la façon

le Français aime les risques	comme Astérix
ça va mal : il reste	on part bille en tête
il court	situation désespérée
système D reste	le sauveur
j'y suis, j'y reste	le messie
ténacité	partir tout droit
pas de connaissance du pays	la fantaisie
inconscience	imagination
il ne savait pas que ça /existait	improvisation des idées
l'aventure le tente	pas de succès en termes
il réagit pas en pro	/d'argent
pour en revenir	défi
en reparler	l'engagement
en remettre	manque de suivi
commando	faire un coup
épater	succès personnel
profite des joies du pays	jeu personnel
ça marche	la même réussite 10 millions
rapporter des preuves à	/que 100 millions
/son entreprise	obligé d'être raciste
à sa famille	obligé d'être démago

104

dont vous les percevez, ne peuvent que vouer à l'échec toute ambition d'exporter la France — ses produits, ses techniques, ses idées.

« De la façon dont vous les percevez... » Portez-vous sur vous-même un regard auquel on puisse se fier? Comment ne pas se poser la question? Et, très précisément, ne faut-il pas faire la part d'un trait de caractère bien français, ou plutôt, d'une tendance bien ancrée dans le comportement des Français : l'auto-dénigrement, qui est comme le contrepoids de cette autre tendance tout aussi ancrée : l'auto-satisfaction? La suite du parcours devrait permettre d'explorer cette question. Reste que le portrait qui s'est constitué au fil de ces trois séquences frappe par la cohérence avec laquelle s'articulent entre eux ces divers composants. Reste aussi que ce portrait se raccorde intimement, par tout un réseau de connexions thème à thème, avec l'ensemble du paysage qui s'est progressivement dessiné dès la toute première séquence.

---

raciste = mauvaise
              /conscience
il se montre provocateur
est obligé d'être un peu
              /raciste
être sur ses gardes
le Français = le confident
le petit grand
Michel Jobert
plus fin que son rival
              /allemand
(je l'ai eu comme un
              /Allemand!)
l'Allemand revient souvent
complexes vis-à-vis des
              /Allemands
l'Allemand réussit
       casse
       y va
       arrive
mépris pour les Allemands
on dîne avec le Français

on signe avec l'Allemand
et le Français prend la note
les Allemands mélangent
              /pas : travail, travail
pas la fête
pas manger
pas bouffer
travailler
le Français fait croire qu'il
              /ne travaille pas
pourtant, il travaille
              /davantage
il invite à manger

... homme de tête

esprit de synthèse
généraliste
prend l'ensemble du problème
bon dans le tête-à-tête
il a ses têtes
des idées

... guerrier solitaire

réagir à l'imprévu
tenace
seul
je prends seul mes responsabilités
le Français aime les risques
ça va mal : il reste
il court
j'y suis j'y reste
ténacité
l'aventure le tente
commando
situation désespérée
le sauveur
défi
l'engagement

... mal à l'aise

obligé d'être raciste
obligé d'être démago
raciste = mauvaise conscience
il se montre provocateur
est obligé d'être un peu raciste
être sur ses gardes

... liant

je m'acclimate
bâtir des relations personnelles
bon dans le tête-à-tête
se trouver des points communs
se lier d'amitié
il arrive à en oublier qu'il est Français

... fanfaron

l'aventure le tente
il y va pour en revenir
          en reparler
          en remettre
épater
rapporter des preuves à son
          /entreprise
à sa famille
comme Astérix
on part bille en tête
situation désespérée
le sauveur
le messie
partir tout droit

... le féminin français

séducteur
bon convive
gai
facile à vivre
côté latin
système D reste
la fantaisie
imagination
improvisation
le Français : un confident
le petit grand
Michel Jobert

... contre le masculin allemand

plus fin que son rival allemand
je l'ai eu comme un Allemand
l'Allemand revient souvent
complexes vis-à-vis de l'Allemand
l'Allemand réussit /casse /y va /arrive
mépris pour les Allemands
on dîne avec le Français
on signe avec l'Allemand
et le Français prend la note
les Allemands mélangent pas :
/travail travail
pas la fête
pas manger
pas bouffer
travailler
les Français font croire qu'ils ne
/travaillent pas
pourtant ils travaillent
il invite à manger

Je suis en voyage à l'étranger (II)

... pas préparé

pas de connaissance du pays
inconscience
il ne savait pas que ça existait

... pas efficace

il réagit pas en pro
pas de succès en termes d'argent
manque de suivi
faire un coup
succès personnel
jeu personnel
la même réussite 10 millions que 100

19 – Le Français vu par les autres : introduction

Comment les Allemands, les Anglais, les Italiens, les Américains, les Japonais vous voient-ils? Et puis, d'une façon générale, comment *les autres* vous voient-ils? Il vous est demandé de vous interroger là-dessus.

Ce qui se révèlera dans les prochaines séquences, c'est l'image que *vous* vous faites de l'image qu'ont de vous les autres. Comment vous imaginez être vu. Un « double vu par » en quelque sorte, où l'image fait ricochet d'un miroir sur l'autre.

Dans le cas où c'est l'Allemand ou l'Américain qui vous regarde, l'opération se passe sans difficulté ni problème. Vous n'avez aucun mal à imaginer leur regard sur vous.

Par contre, quand il s'agit de l'Anglais ou de l'Italien, il se produit cette chose étonnante : le courant du regard ne cesse de s'inverser et, sans vous en rendre compte, votre vision de l'Anglais, de l'Italien fait irruption et se mêle à votre vision de leur regard sur vous... Ce qui semble s'expliquer par le fait que l'Allemand et l'Américain sont vécus par vous comme radicalement « autres », alors que l'Anglais et l'Italien sont à certains égards distincts de vous, mais aussi à certains égards pareils à vous, avec un phénomène d'identification partielle. C'est avec l'Anglais, sans aucun doute, que votre relation est la plus ambivalente, la plus embrouillée.

Là où il y a eu emmêlement des deux courants de regard, la production a été démêlée afin d'être rendue lisible : on verra successivement, par exemple, votre regard sur la façon dont vous voit l'Anglais, puis votre regard sur l'Anglais.

20 – Le Français vu par les Allemands

De la façon dont les Allemands vous voient, vous êtes un être marqué par une polarité essentielle : d'une part, vous suivez votre *souverain plaisir* : bon vivant, vous passez votre temps à faire la fête parmi la dentelle et les froufrous; le travail en tout cas, pour vous, n'est pas fondamental; et d'autre part, vous êtes *inefficace* : jamais à l'heure, incapable de sérieux comme de discrétion, distrait, vous ne poussez pas les choses jusqu'au bout. Ces deux thèmes se raccordent étroitement, au point qu'un certain nombre de propos tenus pourraient figurer aussi bien dans une colonne que dans l'autre. Il s'agit, en fait, des deux versants d'un trait central de la personnalité française qui est, bien que le mot n'ait pas été prononcé, la frivolité. On pourrait dire aussi que l'Allemand, viril, ne voit dans le Français que sa dimension féminine.

Polarité aussi, entre deux sentiments : *attraction* et *répulsion*, avec davantage de poids du côté de cette dernière : bien que leur voisin de l'Ouest soit rigolo, brillant et plein d'idées, on s'en méfie, et même, on ne les veut pas.

— *Et les étrangers, comment est-ce qu'ils nous voient? Par qui est-ce qu'on commence? Par les Allemands? Pour eux, le Français il est comment?*

bon vivant
en retard
imprévu
pressé
pas sérieux
pas à l'heure
bavard
perd son temps
en grève
distrait
pas discret

manque de discipline
latin
bordélique
on ne les veut pas
admiration
rigolo, brillant
noceur
ne sait pas travailler en /équipe
qualité de vie
la Côte d'Azur
plein d'idées
moins cher
on s'en méfie
y a des malins
envieux
un malin ou un con
est-ce un con malin?
faire la fête

110

Du reste, ces Français, ils ne sont pas à l'aise, et ils sont sales. Certaines observations sont cruelles : « des vieux restes », « petit comique ».

Une brève inversion s'est produite, où c'est votre regard sur l'Allemand qui surgit. Le temps de ce dérapage fugace, l'Allemand vous apparaît dans son besoin de tendresse et de considération, faisant tout pour se faire aimer, cherchant à se faire pardonner.

en dehors du contexte
faire la foire
pas à l'aise
des vieux restes
le vin
bouffer
troupes à Berlin
et qui ne le méritent pas
pas systématique
pas persévérant
non-respect de l'autorité
indiscipliné
sale
manque de suivi
ne pousse pas jusqu'au bout
le Français, son travail n'est
/pas fondamental
petit comique
ne vit pas pour travailler

industrie pas sérieuse
industrie de frivolité
ah Paris!
la dentelle, froufrous
raffinement français
diversité des Français
autant d'individus
autant de chapelles
autant de villages

— Et l'Allemand, pour les Français il est comment?

fait tout pour se faire aimer
aime être aimé
besoin de tendresse
de considération
de se faire pardonner

L'Allemand
vu par
les Français

font tout pour se faire aimer
aime être aimé
besoin de tendresse
     de considération
     de se faire pardonner

... attraction

admiration
rigolo, brillant
plein d'idées
moins cher

... répulsion

on ne les veut pas
on s'en méfie
y a des malins
envieux
un malin ou un con
est-ce un con malin?
pas à l'aise
des vieux restes
troupes à Berlin
et qui ne le méritent pas
sale
petit comique

Le Français
vu par
les Allemands

... suit son
souverain plaisir

bon vivant
imprévu
pressé
latin
noceur
qualité de vie
la Côte d'Azur
faire la fête
faire la foire
le vin
bouffer
non-respect de l'autorité
le Français, son travail n'est pas
                    /fondamental
ne vit pas pour travailler
ah Paris!
la dentelle les froufrous
raffinement français
diversité des Français
autant d'individus
autant de chapelles
autant de villages

... inefficace

en retard
pas sérieux
pas à l'heure
bavard
perd son temps
en grève
distrait
pas discret
manque de discipline
bordélique
ne sait pas travailler en équipe
en dehors du contexte
pas systématique
pas persévérant
indiscipliné
manque de suivi
ne pousse pas jusqu'au bout
industrie pas sérieuse
industrie de frivolité

21 – Le Français vu par les Anglais

Tel que vous vous imaginez vu par les Anglais, vous êtes un être *grossier* qui montre ses émotions, qui ne sait pas se maîtriser, qui entre dans la catégorie de la racaille au même titre que les Pakistanais, les Italiens... Et vous êtes aussi, à l'opposé, un être *fin*, un original et un inventeur, à la limite une femme, même... Regard trouble, contrarié donc. Mais un thème fait la jointure de ces contraires : vous n'êtes *pas fiable*, en ceci que vous n'avez pas le respect des valeurs fondamentales. Vous êtes un inconstant et un coureur. Vous êtes imprévisible, inconséquent, indiscipliné, pusillanime. De tout ceci résulte un sentiment mélangé *d'attraction-répulsion* : l'Anglais vous aime et vous déteste; il aime votre savoir-vivre et déteste votre impolitesse. Sentiment qui reflète de nombreux siècles de tantôt bon, tantôt mauvais voisinage, d'alliances et de conflits, de communauté d'intérêt et de rivalité.

Mais quand le courant du regard s'inverse, et qu'il s'agit de votre regard sur l'Anglais, cinq thèmes surgissent, dont trois à coloration fortement négative : l'Anglais a la conviction d'être *supérieur,* il se croit invincible, alors il se montre condescendant et fondamentalement méprisant. Mais c'est qu'en fait, il est *jaloux* : aigri, blessé, froissé dans son amour-propre, envieux de notre style de vie, stu-

---

— **Pour les Anglais, le Français il est comment?**

des Pakistanais
des Italiens
grossier
raffinement
on leur enlève des vignobles
originaux
inventeurs
pas être relié par un tunnel
une racaille
un inconstant
empire
train de vie

inconstant
pusillanime
Napoléon
de Gaulle
indiscipliné
les femmes
j'aime et je déteste
j'aime leurs villages
je déteste les Français
j'aime leurs femmes
je déteste l'impolitesse
j'aime le savoir-vivre
le manque d'élégance
bruyant
ne savent pas se maîtriser

péfait que bien qu'inférieur à lui nous réussissions mieux que lui. Cette jalousie ne le rend que plus *dangereux* : les Anglais sont des pieuvres. Perfides, hypocrites, dépourvus de fair-play, eh oui! N'hésitant pas à tricher, les Anglais n'ont pas leur pareil pour mettre des bâtons dans les roues.

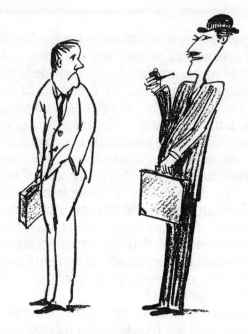

IL N'ÉTAIT PAS TRÈS FAIR PLAY DE FAIRE REMARQUER QUE JE TRICHAIS.

montrent leurs émotions
non-respect des traditions
/de l'autorité
/des valeurs
/fondamentales
les Français sont des
/femmes
mal élevés
imprévisibles
coureurs
choquants
inconséquents

— *Et l'Anglais, pour les Français il est comment?*

envient notre style de vie
ils vivent mal

ils nous envient notre
/gastronomie
ils nous envient notre
/hôtellerie
Anglais = des pieuvres
mettent des bâtons dans les
/roues
on peut les regarder de haut
on est solidaires
ils coulent comme nous
en France, il est chez lui
il connaît les fromages
il nous traite à la française
il nous fait un bon repas
il fait l'effort
il fait plaisir
il montre qu'il nous connaît
il est condescendant
le grand frère

116

Vous leurs reconnaissez cependant un *style*, et celui-ci force l'estime. Un style où entrent originalité et tradition, la vie en club, l'humour, le sport et le confort. Surtout, et malgré tout, eux et nous on est solidaires, et le thème de *l'Entente cordiale* est loin d'être étouffé par les ondes contraires. Vous reconnaissez à l'Anglais qu'il fait l'effort, oui quand même, il vient vers nous. Une note sardonique : « ils coulent comme nous ».

Comment ne pas remarquer que vous tendez à projeter sur l'Anglais certains des traits qui vous sont propres mais qui restent du domaine de l'inavouable : l'Anglais pétri de suffisance, conquérant invincible et... homme blessé.

Regard brouillé, absence de transparence, passion trouble, effet miroir alors qu'on croit voir à travers une vitre, à travers la Manche... A tout prendre, mieux vaut « ne pas être reliés par un tunnel »... La relation du Français à l'Anglais semble interdire, pour l'heure, toute simplicité.

---

il vient vers nous	blessé
fondamentalement, il	jaloux de la réussite
/méprise	ne nous pardonne pas notre
il peut jouer avec nous	/niveau de vie
sport et confort	sentiment d'infériorité
vivre en club	incompréhensible
perfide	froissé
paresseux	blessé
hypocrite	difficile à digérer
invincible	pas fair-play
conquérant	un peu tricheur
original à tout prix	un peu méfiant
et traditionnel	
art de vivre	
l'humour	
adore jouer les punks	
n'admet pas l'Europe	
stupéfait qu'on réussisse	
jaloux, aigri	

... jaloux

envient notre style de vie
ils vivent mal
ils nous envient notre gastronomie
notre hôtellerie
jaloux
aigri
stupéfait qu'on réussisse
blessé
jaloux de notre réussite
on ne nous pardonne pas notre niveau
/de vie
sentiment d'infériorité
froissé
difficile à digérer

... Entente cordiale

on est solidaires
ils coulent comme nous
en France il est chez lui
il vient vers nous
il peut jouer avec nous
il connaît les fromages
il nous traite à la française
il nous fait un bon repas
il fait l'effort
il fait plaisir
il nous montre qu'il connaît

L'Anglais vu par les Français

... supérieur

il est condescendant
le grand frère
fondamentalement il méprise
invincible
conquérant

... un style

sport et confort
vivre en club
original à tout prix
et traditionnel
art de vivre
l'humour
empire
train de vie

... dangereux

les Anglais : des pieuvres
on peut les rejeter de haut
perfide
hypocrite
n'admet pas l'Europe
mettent des bâtons dans les roues
pas fair-play
un peu tricheur

118

... attraction-répulsion

on leur enlève des vignobles
Napoléon
de Gaulle
j'aime et je déteste
j'aime leurs villages
je déteste les Français
j'aime leurs femmes
je déteste l'impolitesse
j'aime le savoir-vivre

... fin

raffinement
originaux
inventeurs
les femmes
les Français sont des femmes

Le Français
vu par
les Anglais

... grossier

des Pakistanais
des Italiens
grossier
une racaille
le manque d'élégance
bruyant
ne savent pas se maîtriser
montre ses émotions
mal élevés
choquant

... pas fiable

pas être relié par un tunnel
un inconstant
pusillanime
indiscipliné
non-respect
      des traditions
      de l'autorité
      des valeurs fondamentales
imprévisible
coureur
inconséquent

22 – Le Français vu par les Italiens

Après la complexité du paysage anglais, la simplicité du paysage italien. Après une parole pleine de torsions et de nœuds, une parole où tout s'accorde. Là, les lignes de relief se contrecarraient, ici elles concourrent.

La vision de vous que vous prêtez à l'Italien n'est que variations autour d'un thème : *le sérieux.* Vous êtes consciencieux et méticuleux, terne, respectable, suffisant, pas rigolo... Le Français est à l'Italien ce que l'Allemand est au Français.

Qui plus est, si l'on considère ce qui se passe lorsque le courant de regard s'inverse et que c'est vous qui regardez l'Italien, on s'aperçoit que l'Italien est aux yeux des Français ce que le Français est aux yeux des Allemands.

Ainsi, dans cette chaîne qui se parcourt dans les deux sens, le Français se positionne au point médian, et paraît y trouver un certain confort, celui de l'individu qui, dans une cordée, est assuré des deux bouts.

Dans ladite chaîne, cependant, une différence importante se fait jour quant au degré de contraste : l'Italien est « plus » ceci et « moins » cela que le Français, ce qui veut dire que fondamentalement, ils sont de même espèce. Alors que l'image qu'a l'Allemand du Français relève d'une

---

— *Pour les Italiens, le Français il est comment?*	— *Et l'Italien, pour les Français il est comment?*
suffisance	alors là
sérieux	ça ...
les Français sont des /Italiens pas rigolos	on se ressemble pas mal on se méfie d'eux
des cousins chiants	ils se méfient de nous
méticuleux	heureusement qu'il y a les /Alpes
respectables	
pressés	sinon, ce serait le même /pays
consciencieux	
plus prudents	ils nous reprochent notre
ternes	/sérieux

altérité radicale. Dans un cas comme dans l'autre, il y a méfiance. Mais la méfiance entre Italien et Français est indulgente et complice, tandis que la méfiance de l'Allemand à l'égard du Français (telle que vous l'imaginez) est implacable, sans recours. C'est pourquoi au plan des sentiments, alors que la répulsion l'emportait sur l'attraction dans le paysage allemand, ici c'est une note de sympathie qui traverse les deux thèmes : *moins sérieux, plus séduisant que nous* et : *trop semblable à nous pour qu'on ne se méfie pas.*

Trop semblable à nous, l'Italien, pour que nous puissions prendre une distance et nous regarder par ses yeux : c'est ce qui explique que le regard est ici surtout celui que nous portons sur eux. Et le fait que la production de parole soit relativement peu abondante ne fait que refléter l'absence de tension ou d'angoisse dans la relation.

---

en Italie, tout est joué
plein de système D
très proche
querelle de cousins
pas différents
le vin
tout pareil
plus tricheur
plus de combine
plus talentueux
plus beau
plus séduisant
plus créatif
moins efficace
moins ponctuel

pas de parole mais ils
   /parlent beaucoup
plus brillant
très peu de choses au
   /sérieux
5 ou 6 siècles de civilisation
   /de plus
un art de vivre
flexible dans la bagarre
versatile

... *trop semblable*
à nous pour qu'on
ne se méfie pas

alors là
ça...
on se ressemble pas mal
on se méfie d'eux
ils se méfient de nous
heureusement qu'il y a les Alpes
sinon ce serait le même pays
très proche
querelle de cousins
pas différent
le vin
tout pareil

L'Italien
vu par
les Français

... *moins sérieux,*
plus séduisant que nous

ils nous reprochent notre sérieux
en Italie tout est joué
plein de système D
plus tricheur
plus de combine
plus talentueux
plus beau
plus séduisant
plus créatif
moins efficace
moins ponctuel
pas de parole mais il parle beaucoup
plus brillant
très peu de choses au sérieux
5 ou 6 siècles de civilisation en plus
un art de vivre
flexible dans la bagarre
versatile

Le Français
vu par
les Italiens

... sérieux

sa suffisance
son sérieux
les Français sont des Italiens pas rigolos
des cousins chiants
méticuleux
respectables
pressés
consciencieux
plus prudents
ternes

SAY, WHERE'S FRANCE?

23 – Le Français vu par les Américains

La séquence américaine est remarquable, d'abord, par le fait qu'aucune inversion de regard ne se produit. La totalité de la production de parole exprime le regard américain sur la France et les Français. Ce seul fait témoigne de la forte prégnance du regard américain sur vous, et de votre absence d'indifférence à ce regard. Il en allait de même, ou presque, dans le cas de l'Allemand, beaucoup moins dans le cas de l'Anglais, à peu près pas dans le cas de l'Italien...

Elle est remarquable, aussi, par son abondance. Signe que vous êtes fortement concerné, et passablement inquiet.

Elle l'est enfin par son humour, son double sens. En filigrane du flot de la parole, on croit entendre : « ceux qui disent ça sont des barbares... » et en même temps : « ces barbares n'ont peut-être pas tout à fait tort... » et enfin : « de toutes façons, ils ont la raison du plus fort... ».

Sur les cinq thèmes qui composent le relief, il en est deux qui expriment la vision des Américains, non sur les Français mais sur cette entité : « la France ». Celle-ci est *insignifiante* : où est-ce? Paris dans le Névada? La dérision est ici à son maximum : vu de Houston, c'est un tout petit pays, riquiqui, à peine si ça existe... Si l'on s'y rend, si l'on a affaire à elle, c'est *pour quoi faire?* Et là, le catalogue des

---

— *Pour les Américains, le Français il est comment?*

il faut y aller
où est-ce?
quel état?
Paris dans le Névada?
vu de Houston...
vacances
guerre
emmerdeur
riquiqui
les musées

le fils envoyé là-bas
l'histoire
des amateurs
des faiseurs d'histoires
Maurice Chevalier
la Normandie
des antiquités
on est la Grèce
on ne sait pas se nourrir
on est sale
pas d'hygiène
pas de bouffe sans
        /diététique
on ne sait pas aller droit

relations ou échanges possibles avec la France, qui couvre les vacances et la guerre, la baguette et le croissant, les musées et la mode, les parfums et les restaurants, le petit village, exclut rigoureusement tout ce qui participe des affaires sérieuses et productives.

Le thème qui domine, et de loin, ce paysage, est : *pour qui se prennent-ils ?* Il semble que là, par la médiation du regard américain sur vous tel que vous l'imaginez, vous vous donniez la réplique, vous dialoguiez avec vous-même, vous pourfendiez ce Francais qui se croit supérieur alors qu'il n'est qu'emmerdeur et amateur, ce Français faiseur d'histoires mais qui ne sait pas aller droit, qui arbore une arrogance injustifiée, se dressant sur ses ergots avec un air gogo. Poussant plus loin la cruauté, l'Américain tel que vous l'imaginez exprime sa nostalgie pour une vieille maîtresse dont le lifting est impossible. Le féminin français, dont sont imprégnés les regards allemands et anglais, n'est pas absent ici, mais il est, si l'on peut dire, du domaine du « has been ».

Bien que peu développés, deux thèmes à coloration positive adoucissent cependant la férocité du portrait : les Français ont *leur bon côté :* si collectivement ils sont incompréhensibles et s'y entendent en machins compliqués et tracasseries, individuellement ils sont intelligents et sympathiques; ils constituent quand même pour les hommes de maintenant que sont les Américains une racine, une souche. Et puis, il faut reconnaître *leur apport, cependant :* c'est le pays de la liberté, des droits de l'homme. Ils ont apporté d'Artagnan, La Fayette, et Maurice Chevalier. Ils apportent Renault et Perrier.

---

pas sportif	une démocratie
tout petit pays	un vieux pays
grande gueule	tour Eiffel
incompréhensibles	châteaux de la Loire
inconstants	la baguette
ne savent pas que le temps	croissant
/c'est de l'argent	bouffe
d'Artagnan	perte de complexes
Michelin	/vis-à-vis de l'Europe
Perrier·	tout acheter
La Fayette	tout refaire
Renault	un foyer culturel
le passé, l'aide des	Français intelligent
/Français	une racine
un désert culturel	une souche
le pays de la liberté, des	de l'imagination
/droits de l'homme	ne savent pas l'exploiter

Il se pourrait que leur vertu principale réside dans l'imagination. Mais quel dommage, soupire l'Américain, qu'ils ne sachent pas l'exploiter!

I THINK THE LOWEST
IS ONLY FOR YOU.

nostalgie d'une vieille
  /maîtresse dont le lifting
        /est impossible
inassimilable
le petit village
les chauvins
sortir de l'OTAN
mai 1981, on ne comprend
        /rien
démocratie populaire
couteau entre les dents
on n'existe pas
des communistes au
        /gouvernement
machin compliqué
système bancaire pas simple
pays à risque

comme le Tiers-Monde
licences
tracasserie
difficultés
arrogance injustifiée
se dresse sur ses ergots
air gogo
très à l'aise si on dit qu'on
        /est Français
individuellement
        /sympathique
la mode
fromages
parfum
restaurant
en pleine caricature
la technologie : connaît pas

... leur bon côté

un foyer culturel
Français intelligent
une racine
une souche
de l'imagination
individuellement sympathique

... en France, quoi faire?

vacances
guerre
les musées
le fils envoyé là-bas
la Normandie
un vieux pays
tour Eiffel
châteaux de la Loire
la baguette
croissant
bouffe
tout acheter
tout refaire
le petit village
la mode
fromages
parfums
restaurants

Le Français vu par les Américains

... France insignifiante

il faut y aller
où est-ce?
quel état?
Paris dans le Névada?
vu de Houston...
riquiqui
on est la Grèce
tout petit pays
on n'existe pas

... pour qui se prennent-ils?

emmerdeur
des amateurs
des faiseurs d'histoires
ne savent pas se nourrir
sont sales
pas d'hygiène
pas de bouffe sans diététique
ne savent pas aller droit
pas sportifs
grande gueule
incompréhensibles
inconstants
ne savent pas que le temps
                    /c'est l'argent
un désert culturel
inassimilable
les chauvins
sortir de l'OTAN
mai 81 on n'y comprend rien
démocratie populaire
couteau entre les dents
des communistes au gouvernement
tracasserie
machin compliqué
pays à risque
comme le Tiers-Monde
arrogance injustifiée
se dresse sur ses ergots
air gogo
la technologie connait pas
ne savent pas exploiter
                    /leur imagination
nostalgie d'une vieille maîtresse dont le
                    /lifting est impossible

... un apport, cependant...

l'histoire
Maurice Chevalier
des antiquités
d'Artagnan
Michelin
Perrier
La Fayette
Renault
le passé, l'aide des Français
le pays de la liberté, des droits de
                    /l'homme
une démocratie

ILS SONT PEUT-ÊTRE EN TRAIN DE NOUS POMPER NOS POMPES ?

24 – Le Français vu par les Japonais

Ici, on plonge dans le vide...

Les Japonais ont, non pas une image du Français, mais une anti-image. Rien ne s'imprime sur leur pellicule. « Ils nous voient en blanc ». Ils n'attribuent au Français aucune identité. Avant de vous piller — car ils se sont, eux, préparés au voyage, à voler les idées, à piquer tout ce qu'on peut prendre — ils vous font savoir que vous n'êtes rien. Eux seuls existent. Vous ne les intéressez pas. Vous êtes, tout au plus, des gentils barbares, des sauvages avec lesquels il n'y a pas de contact.

Au travers de ce désintérêt absolu que vous prêtez au Japonais à votre endroit, on entrevoit l'image que vous, Français, vous formez du Japonais : courtois et venant avec plaisir ici comme partout, le Japonais est autrement redoutable que l'Allemand ou l'Américain qui, eux au moins, ont un regard, même s'il est méprisant, agressif. Avec son non-regard, le Japonais vous « anéantit ».

— **_Pour les Japonais, le Français il est comment?_**

les Japonais viennent avec
/plaisir
comme partout
se préparent
ils sont préparés avant rôle
/actif
voyage organisé
il y a le Japon... aucun autre
/pays
aucun complexe
on ne les intéresse pas
on est des barbares, des
/sauvages
pas de contact
de gentils barbares
pas individualisés
c'est l'Européen pour eux

tour de l'Europe
c'est pareil : tous les
/Européens se ressemblent
venir visiter
une curiosité
faire le voyage
tout ce qui n'est pas japonais
prendre des idées
des voleurs d'idées
assimilateur
copie en mieux
piquer tout ce qu'on peut
/prendre
ils nous voient en blanc
choqués si on se met en
/colère = barbarie
courtoisie
si on ne les intéresse pas =
/grossièreté
choqués par la malhonnêteté

CROYEZ-MOI ! NOUS NE SOMMES PAS LOIN
DE COMMENCER À NOUS Y METTRE.

25 – Le Français vu par les autres en général

Invité à synthétiser le regard porté sur vous par les autres « en général », vous nous offrez — vous vous offrez à vous-même — une surprise majeure. En effet, le paysage qui en découle est loin d'être un composé des paysages particuliers qui ont précédé. Il comporte des éléments de relief qui n'étaient pas apparus jusqu'à présent, et qui enrichissent de traits nouveaux et importants votre portrait de vous-même. Il se vérifie ici que le regard des autres, même si ce n'est que celui qu'on s'imagine, provoque une catalyse, ou encore, agit comme un révélateur de ce que l'on pense vraiment de soi-même.

Ainsi, vous vous découvrez *éruptif,* ce qui fait à la fois votre faiblesse et votre force. Vous fonctionnez par à-coups plutôt que par grands flux. Un volcan ne fait pas autrement et ça marche, à ceci près que les résultats sont dans le désordre. On est loin du mythe de la rationalité. Vous vous découvrez instinctif, intuitif, brillant si l'effort demandé est court et intensif. Votre talent est pour le cent mètres, jamais pour la course de fond. Vous êtes un défricheur plutôt qu'un bâtisseur. Votre rythme d'action, irrégulier, spasmodique, est la raison pour laquelle les étrangers éprouvent de la méfiance à votre égard; vous leur paraissez fragile, instable.

A l'opposé, c'est à peine si votre côté *prudent* (méfiant, terre à terre) apparaît dans le regard des autres, à croire que c'est là une dimension de votre personnalité qui

---

— Et d'une façon générale, les étrangers... Comment est-ce qu'ils voient le Français?

image fragile
    instable
les étrangers se méfient
Français sauteurs
qualité de brio
    d'art de vivre
diplomate
assez vif

peu organisé
un petit grain de génie
charmeur
polyvalent
un peu touche-à-tout
et tout faire
amateur, amateur de luxe
pas professionnel
pas fait pour le commerce
       l'industrie
       les choses
         /sérieuses
peu doué pour les voyages
de beaux restes quand même

n'est pas mise en avant dans vos contacts avec les autres, que c'est un trait intime que vous gardez pour vous.

Ce que vous êtes par-dessus tout aux yeux des autres, c'est un *amateur aimable*, et ce trait, comme il en va pour éruptif, combine des éléments de force et de faiblesse. La force est dans une qualité de brio, une qualité d'art de vivre, la vivacité, un petit grain de génie, la polyvalence, la sympathie, la curiosité, le charme. La faiblesse est dans tout un ensemble de défauts qui se mettent en travers de votre capacité d'action : vous êtes sauteur, peu organisé, touche-à-tout, peu doué pour les voyages; et vous n'êtes pas fait pour les choses sérieuses, bref, pas professionnel. Tout compte fait, ni méchant, ni dangereux (alors que vous êtes entouré de gens méchants et dangereux : les Allemands, les Japonais notamment). Vous êtes le contraire du guerrier dont vous aimez revêtir la panoplie. Doté d'intelligence, de sensibilité et de séduction comme vous l'êtes, vous pourriez mieux faire, tirer davantage de vous-même, mais vous vous confinez dans des rôles de confident, de figaro, de psychanalyste du monde, un monde que vous considérez du reste avec indulgence. Amateur, amateur de luxe, vous êtes agréable à fréquenter, vous êtes le plaisir des autres... La distance est grande entre cet amateur aimable ici campé et la figure altière qui s'était constituée à l'intérieur de l'espace thématique « supérieur-guerrier-rationnel » de la première esquisse d'autoportrait. Il y a « de beaux restes quand même », et ce mot fait écho aux « vieux restes » renvoyés par le regard allemand et au « lifting impossible de la vieille maîtresse » provenant du regard américain.

---

peut mieux faire	c'est quelqu'un
individualiste	un volcan
pas méchant	une éruption
pas dangereux	et ça marche
par à-coups plutôt que par /grand flux	résultats dans le désordre
	sympathie
mal servi par l'image /politique	curiosité
	indulgence
continuité dans la /discontinuité	Français : pas suiviste
	leader
mérite d'être fréquenté	être le premier
en tirer davantage	on utilise son orgueil
confident	100 m, jamais la course de /fond
Figaro	
psychanalyste du monde	défricheur
image à part	découvreur qui s'essouffle
spécifique	pas un bâtisseur

Quand même, on vous reconnaît *homme de tête et de bouche,* même si ce n'est pas sous l'éclairage le plus flatteur. Leader et heureux de donner des leçons, pas suiviste, vous vous percevez en tête en tant qu'individu, en tant que peuple, « je vous le dis! ». Vous la ramenez, vous vous considérez volontiers comme l'ambassadeur des vertus et valeurs nationales — mais les étrangers savent utiliser votre orgueil à leur avantage. Alors... faute de gagner, vous vous faites glorificateur de l'échec, adorateur de Poulidor, ce champion qui n'a jamais réussi à être le premier.

Quelque peu éberlué par le portrait que vous venez de produire, à la fin vous vous exclamez : « les autres peuples auront-ils la même sincérité? » Et vous ajoutez : « la même volonté d'auto-destruction? » Frappante, effectivement, la cruauté avec laquelle vous retournez parfois la fronde contre vous-même. Faut-il y voir une pulsion de mort? Ou au contraire, cette violence participe-t-elle de l'émergence d'une prise de conscience salutaire? La question, au terme de cette séquence, pouvait-elle être plus brutalement posée?

Si l'on est en droit d'évoquer un début de prise de conscience, c'est qu'ici, pour la première fois peut-être, vous avez accouché d'une image de vous-même sentant la vérité et la fraîcheur, qui pulvérise le stéréotype auquel on vous a vu jusqu'à présent vous accrocher. Dans cette image, c'est votre dimension féminine — le féminin français — qui apporte la couleur dominante. Il s'agit d'un renversement inattendu, et que l'on doit sans doute au passage par l'intermédiaire du regard de l'étranger, à la médiation du regard de l'autre.

---

un intellectuel
un homme de parole
la France, c'est un tout
une région de l'Europe
côté instinctif
    intuitif
    individualiste
ne compte que sur lui-même
se débrouille
autonome
terre-à-terre
pas un peuple inopiné
fort en gueule
sait où il met les pieds
et entre les deux
la méfiance
est moraliste

heureux de donner des
        /leçons
donneur de leçons
en tant qu'individu
    que peuple
je vous le dis!
je suis ambassadeur
glorificateur de l'échec
adorateur de Poulidor
P.S. : les autres peuples
      /auront-ils la même
        /sincérité?
la même volonté
    /d'auto-destruction?
la fronde?

... individualiste

individualiste
image à part
    spécifique
c'est quelqu'un
côté individualiste
ne compte que sur lui-même
se débrouille
autonome

... un amateur aimable

Français sauteurs
qualité de brio
    d'art de vivre
assez vif
peu organisé
un petit grain de génie
charmeur
polyvalent
un peu touche-à-tout
et à tout faire
amateur
amateur de luxe
pas professionnel
pas fait pour le commerce
    l'industrie
    les choses sérieuses
peu doué pour les voyages
de beaux restes quand même
peut mieux faire
pas méchant
pas dangereux
mérite d'être fréquenté
en tirer davantage
confident
Figaro
psychanalyste du monde
sympathie
curiosité
indulgence

... homme de tête et de bouche

diplomate
Français : pas suiviste
leader
être le premier
on utilise son orgueil
un intellectuel
un homme de parole
fort en gueule
et moraliste
heureux de donner des leçons
en tant qu'individu
en tant que peuple
je vous le dis !
je suis ambassadeur
glorificateur de l'échec
adorateur de Poulidor

... éruptif

image fragile
    instable
les étrangers se méfient
par à-coups plutôt que par grands flux
continuité dans la discontinuité
un volcan
une éruption
et ça marche
résultats dans le désordre
100 m, jamais la course de fond
défricheur
découvreur qui s'essouffle
pas un bâtisseur
côté instinctif
    intuitif

... prudent

terre-à-terre
sait où il met les pieds
et entre les deux
la méfiance

Le Français
vu par
les autres en général

... P.S.

les autres peuples auront-ils la même
               /sincérité?
la même volonté d'auto-destruction?
la fronde?

Quatrième partie
LE FRANÇAIS ET SES VALEURS

26 – *Quels symboles, quelles valeurs?*

Invité à faire l'appel des symboles et valeurs qui vous importent, qui ont un sens, un poids, une réalité dans votre vie, vous tracez ici, en quelque sorte, votre « carte du ciel », et l'on découvre que le ciel français se compose de quatre régions.

La plus vaste est celle de la *séduction*. Celle-ci est amoureuse, mais aussi gustative et olfactive puisqu'elle comprend la baguette et Chanel n° 5, terrienne enfin avec une douceur de vivre enracinée dans la paysannerie, poussant une pointe cependant jusqu'à la Côte d'Azur... Le béret et le bistrot vous ancrent dans la permanence rassurante d'une tradition de simplicité sans histoire, dépourvue de menace...

Au pôle opposé, vous nommez *les réalisations* prestigieuses d'hier et d'aujourd'hui, allant de la tour Eiffel au TGV en passant par le Normandie, marquant la capacité technique qu'a la France d'innover. De faire, et de faire haut, grand et bien.

Mais l'ouvrage dont vous tirez orgueil couvre tout autant l'activité intellectuelle et artistique : c'est la région de *l'esprit*. Région dont le contenu, à vrai dire, reste flou. Pas un seul chef d'œuvre n'est nommé, ni un seul nom de peintre ou d'écrivain, mais « la peinture, peut-être la littérature ». La philosophie est un peu moins imprécise avec le

---

— *Le Français est moraliste, heureux de donner des leçons... aux autres. Mais pour lui-même? Y a-t-il des valeurs, des symboles, auxquels il est attaché? Commençons par faire une liste.*

la tour Eiffel
le coq
la Parisienne
la nourriture

parfum
béret, baguette
l'audace
la Révolution
la liberté
l'accueil
code civil, justice
les formes
la culture
l'individualisme
l'amour
le cartésianisme
la gloire
la peinture

cartésianisme, l'existentialisme. Reste que votre rapport avec l'héritage culturel semble distant.

Se manifestent enfin *les valeurs* à proprement parler, celles auxquelles vous êtes le plus attaché, et qui reflètent l'histoire de votre pays (la Révolution, la gloire), ses conquêtes civilisatrices à portée universelle (la liberté, l'accueil, le code civil, la justice, l'éducation), enfin ses qualités de caractère (l'audace, l'individualisme).

Convié à choisir, dans ce paysage, les quelques mots-clé qui vous semblent constituer le sommet de votre échelle de valeurs, vous retenez les quatre termes suivants : l'amour, la gloire, l'esprit, la Révolution.

---

peut-être la littérature
les nouveaux philosophes
l'existentialisme
le 20ᵉ siècle
le Concorde
le Normandie, le France
le métro
TGV
les armes
la campagne française
les paysans
Côte d'Azur
la douceur de vivre
les bistrots

les grands acteurs
éducation française
Chanel nᵒ 5

... *l'esprit*

les formes
la culture
le cartésianisme
la peinture
peut-être la littérature
les nouveaux philosophes
l'existentialisme
les grands acteurs
l'esprit
l'éducation française

... *les réalisations*

la tour Eiffel
le 20e siècle
le Normandie, le France
Concorde
le métro
TGV
les armes

... la séduction

le coq
la Parisienne
la nourriture
parfum
béret, baguette
l'amour
la campagne française
les paysans
Côte d'Azur
la douceur de vivre
les bistrots
Chanel n°5

Quels symboles, quelles valeurs?

... les valeurs

l'audace
la Révolution
la liberté
l'accueil
le code civil, la justice
l'individualisme
la gloire

ENTRE, MON PETIT,
ON SERA MIEUX À L'INTÉRIEUR.

27 – L'amour

Sur le sexe, vous étiez resté sec... Sur l'amour, tout le contraire se produit : la parole jaillit dans un flot ample et généreux. Le contraste est frappant. Pas de doute, la consommation de l'amour physique est pour vous accessoire, vous préférez vous ébattre dans les alentours. Bien plus, il y a comme un escamotage du plaisir de l'acte sexuel, tandis que la jouissance se déploie dans diverses figures dérivées de l'amour.

Ce n'est pas l'acte final, dites-vous, qui importe, mais *toute la sauce*. Le Français amoureux se reconnaît comme maître saucier. Si la cuisine peut être un art, ainsi en va-t-il de l'amour qui n'a de goût que par ce qu'on y ajoute : gants blancs et dessous féminins, porte-jarretelle et caleçon brodé, « tous ensembles flous » : l'assaisonnement, les condiments. La jonction avec la bouche organe d'entrée se déploie : « ça fait saliver, ça s'intègre avec la bouffe ». Mais aussi avec la bouche organe de sortie, car la parole occupe le premier rang dans la liste des ingrédients érotiques : on badine, on baratine, on marivaude, on conte fleurette. Les préparatifs sont savoureux en eux-mêmes, au même titre que les hors-d'œuvres variés, le moment souvent le plus excitant du repas. Les préparatifs verbaux et les autres : les parfums qui habillent, et les robes qui déshabillent si bien. Les bas de soie, la guêpière, les chichis, les froufrous. Aucune partie du corps n'est nommée, le corps lui-même est absent. Il y a là comme une béance,

---

autour de quoi s'agence toute une batterie de plaisirs. Des plaisirs plutôt que le plaisir. Rien n'égale « l'amour inachevé, avec un goût de revenez-y ».

Vous tournez autour, donc. Une autre façon de tourner autour est d'investir dans *l'amour courtois*, héritage du Moyen-Age, repris sous d'autres formes au Grand Siècle (la carte du Tendre, les pastorales), et aujourd'hui encore bien vivace. L'amour n'atteint son point d'incandescence que dans la sublimation, la transcendance, lorsqu'il est contrarié. Le désir naît de la frustration et il s'accroît lorsque l'effet recule. L'amour a besoin de mythe, l'illusion est nécessaire pour frôler l'absolu, il faut un décalage avec le réel : par exemple, se faire chevalier des causes impossibles. Roméo et Juliette, Tristan et Yseult vous touchent en tant que deux figures de l'amour non consommé. S'il n'y a pas d'obstacle extérieur, alors vous attendez de votre partenaire une résistance. Dans l'amour courtois, à la batterie des plaisirs se substitue une batterie de souffrances, mais la fonction des deux batteries est comparable : il faut « éloigner » le plaisir pour accéder à la jouissance. La libération sexuelle semble n'y avoir strictement rien changé.

Quand même... Lorsque les propos suivants vous échappent : « amour proche de la passion », et « amour pas furieux mais presque », on pressent que votre projection de vous-même dans l'univers de la chevalerie ne va pas sans quelques accrocs.

Solidement campé face à l'amour courtois, son opposé et son complément dans le paysage amoureux français, très exactement son pendant, se dresse *le libertinage*. Face au chevalier servant, chaste, soumis et transi, voici le tombeur, l'Arsène Lupin qui entre par la fenêtre, le collec-

---

gants blancs
le coq
dessous féminins
porte-jarretelles
le pays du caleçon brodé
et tous ensemble flous
Roméo et Juliette
Tristan et Yseult
2 figures de l'amour non
/consommé
le désir naît de la frustration
le désir s'accroît lorsque
/l'effet recule
catholicisme
et ses pompes et ses
/œuvres

soubresauts et froufrous
la femme était le péché
la France, c'est un peu la
/femme
un peu salive
c'est l'œil coquin
égrillard
c'est un peu le paradis
les Suisses y vont s'encoquiner
le respect de la femme
le goût de la féminité
le mythe
la résistance
chevaleresque
on dit une alliance
alors qu'en anglais c'est ring

tionneur, le chasseur. La description du gibier qu'il amasse dans sa besace est intéressante : la rosière, la catherinette, Cendrillon, la marchande des quatre saisons, Gigi, la Dame aux Camélias, la marchande d'allumettes sont autant de

FAÏS-MOÏ SOUFFRIR !

amour proche de la passion	la représentation de maman
amour jeu	Brigitte Bardot
amour fou	les muses
amour pas furieux mais /presque	guirlandes
	les 3 Grâces
ça s'intègre avec la bouffe	la rosière
avec les arts	la ronde
champagne	la Catherinette
les femmes belles et prêtes /à l'amour	Cendrillon
	marchande des 4 saisons
tout vient de Rome	batifole
Rome et Astérix	une guêpière
sublimation	bas de soie
transcendance	Gigi
décalage avec le réel	Dame aux Camélias
culte de la Vierge Marie	marchande d'allumettes

figures de la jeune fille émouvante, humble et sans défense (qu'elle soit vertueuse ou qu'elle ait mal tourné), la victime piétinée. Le Don Juan français est attiré davantage par les Charlotte et les Zerline que par les Elvire et les Dona Anna. La composante sadique est nette. C'est entre chien et loup, entre la poire et le fromage, entre cinq et sept, avec un cœur qui palpite, que vers Justine il se dirige, empruntant on ne sait quelle ruelle, et là, au secret entre alcôve et miroir, ses ébats vont du trou de serrure à la torture. C'est l'amour-jeu, jeu sans échange, l'amour-je, « je suis moi ».

En filigrane de ce va-et-vient entre amour courtois et libertinage, entre amour torturé et amour torturant, il y a l'empreinte du catholicisme. *Le péché d'amour* est inscrit en vous, indissociable de l'amour tout court. Aimer, c'est être à la limite de l'interdit, au bord de l'abîme, au bord de l'inceste. Là est la rançon du culte de la Vierge Marie — la représentation de maman. La femme était le péché, et l'est encore, que ce soit sous la forme de Brigitte Bardot ou de la femme-enfant. C'est que tout vient de Rome, et l'Eglise, avec ses pompes et ses œuvres, censure les soubresauts et les froufrous qui ouvrent sur le vertige des Abysses. L'amour est une porte étroite : attention à l'incontinence! Entre l'esprit et les sens, entre le pieu et le pieux, entre l'interdit et le confessionnal, il n'y a qu'un pas, celui que franchissent les religieuses qui ne savent plus où donner de la tête et qui font pis que les courtisanes...

C'est tout cela qui fait que les Français aiment l'amour, que l'amour vous occupe énormément, ou plutôt occupe énormément votre pensée, votre imagination. C'est tout cela qui compose un cocktail corsé, un mélange dont la force et l'attrait résident dans la richesse des ten-

---

les chichis
les froufrous
French Cancan
madame Claude
les préparatifs
la caresse
la main
le jeu
je suis moi
j'écris des lettres
j'offre des fleurs
je fais des conquêtes
j'accepte l'échec amoureux
je vous collectionne
je parfume mes lettres
défense de la belle

Bayard contre Attila
le pieu et pas le pieux
chevalier des causes
                    /impossibles
illusion
frôler l'absolu
à la limite de l'interdit
au bord de l'abîme
                de l'inceste
la femme-enfant
le vertige des Abysses
chien et loup
entre la poire et le fromage
entre 5 et 7
Arsène Lupin
Gomorrhe et Sodome

sions qui le parcourent. C'est tout cela qui fait que *la France, pays d'amour* attire les étrangers, que les Suisses y vont s'encoquiner... Le Français, un coq, s'y trouve, à leurs yeux, un peu au paradis. Un paradis peuplé de femmes belles et prêtes à l'amour, le pays de la douceur de vivre, de Madame Claude et du french cancan, de l'adultère et de la belle-mère. Où le lien légitime entre époux trouve symbole dans une alliance, et non, comme chez les Anglo-Saxons, dans un « ring » où l'on se bat.

---

entre l'interdit et le
/confessionnal, il n'y a qu'un
/pas
la porte étroite
entre le dit et le non-dit
entre l'esprit et les sens
adultère = sujet de la
/France
et la belle-mère
la Croisade et la ceinture de
/chasteté
c'est pour ça que Louis XVI
/était serrurier !
XVIIIe frivole
trou de serrure
escarpolette

la torture
sado-maso
Justine
baldaquin
alcôve et miroir
secret
cœur qui palpite
ruelle
cruauté des maîtresses
/abusives
les galanteries
courtisanes
les religieuses qui ne savent
/plus où donner de la tête
l'incontinence

... libertinage

faire tomber
amour jeu
la rosière
la ronde
la Catherinette
Cendrillon
marchande des 4 saisons
Gigi
la Dame aux Camélias
marchande d'allumettes
le jeu
je suis moi
je fais des conquêtes
j'accepte l'échec amoureux
je vous collectionne
chien et loup
entre la poire et le fromage
entre cinq et sept
Arsène Lupin
Dix-huitième frivole
trou de serrure
escarpolette
la torture
sado-maso
Justine
baldaquin
secret
alcôve et miroir
cœur qui palpite
ruelle
cruauté des maîtresses abusives

... péché d'amour

catholicisme
et ses pompes et ses œuvres
soubresauts et froufrous
la femme était le péché
tout vient de Rome
Rome et Astérix
culte de la Vierge Marie
la représentation de maman
Brigitte Bardot
le pieu et pas le pieux
à la limite de l'interdit
au bord de l'abîme
            de l'inceste
la femme-enfant
le vertige des Abysses
Gomorrhe et Sodome
entre l'interdit et le confessionnal il n'y
                    /a qu'un pas
la porte étroite
entre le dit et le non-dit
entre l'esprit et les sens
courtisanes
religieuses qui ne savent plus où
                    /donner de la tête
l'incontinence

... la France pays d'amour

douceur de vivre
le coq
la France c'est un peu la femme
c'est un peu le paradis
les Suisses y vont s'encoquiner
le goût de la féminité
on dit " une alliance "
alors qu'en anglais c'est " ring "
les femmes belles et prêtes à l'amour
les Trois Grâces
French Cancan
Mme Claude
adultère, sujet de la France
et la belle-mère

L'amour

... amour courtois

évocation du désir
la carte du Tendre
le Roman de la Rose
l'amour courtois
Roméo et Juliette
Tristan et Yseult
2 figures de l'amour non consommé
le désir naît de la frustration
le désir s'accroît lorsque l'effet recule
le respect de la femme
le mythe
la résistance
chevaleresque
amour proche de la passion
amour fou
amour pas furieux mais presque
sublimation
transcendance
décalage avec le réel
défense de la belle
Bayard contre Attila
chevalier des causes impossibles
illusion
frôler l'absolu
la croisade et la ceinture de chasteté
c'est pour ça que Louis XVI était
/serrurier

... toute la sauce

c'est pas l'acte final
toute la sauce
la cuisine
l'art de baratiner
l'art d'aimer
les roses
badinage
le marivaudage
les robes qui déshabillent si bien
les parfums qui habillent
l'amour inachevé
avec un goût de revenez-y
pas la consommation
l'attitude du Français : faire la cour
conter fleurette
panache
gants blancs
dessous féminins
porte-jarretelle
le pays du caleçon brodé
et tous ensembles flous
un peu salive
c'est l'œil coquin
                        égrillard
ça s'intègre avec la bouffe
                        avec les arts
champagne
les muses
guirlandes
batifole
une guêpière
bas de soie
les chichis
les froufrous
les préparatifs
la caresse
la main
j'écris des lettres
j'offre des fleurs
je parfume mes lettres
galanteries

28 – La gloire

La gloire de la France, vous la voyez se déployer sur cinq champs.

Deux champs, d'abord, qui draînent ce qui subsiste de la tradition, et qui se jouxtent : celui de *la France conquérante,* celui de la *France héroïque et martyre.* Ensemble, ils composent le domaine guerrier, lequel se visite comme un musée, au demeurant poussiéreux. Suivez le guide! Roncevaux, tirez les premiers, Louis XIV, les soldats de l'An II, les poilus de 14, la Résistance... Pieux pélerinage, parcours tracé dans des couloirs au sol usé, où flotte un parfum de désuétude. Le flot de parole est maigre quantitativement, il est indigent surtout au plan qualitatif. La furie française, notre sang versé, s'emparer du monde : paroles sans résonance.

Mais il y a le champ de *la France cocoriquante,* ambigu parce qu'il est difficile de dissocier, dans l'écheveau de vos propos, ce qui est à prendre au premier degré de ce qui participe d'un sentiment de dérision. Dans la guirlande des métaphores flatteuses — le joyau, la proue de l'Europe, la figure avancée, l'alpha et l'oméga, la mère des peuples — il y a l'expression à la fois d'une fierté et d'un sarcasme. Les deux seules réalisations citées — le France, le Concorde — combinent orgueil et amertume. L'ironie est patente dans « je suis la fille aînée de l'Eglise, je cocorique, je suis la conscience, l'arbitre... ».

— La gloire... Voyons ce qu'il y a là-dedans... La gloire et les Français...

Napoléon
perçait déjà sous Bonaparte
Louis XIV
la gloire mène à l'amour
conquête
la furie française
orgueil satisfait
tirez les premiers!
le rôle dans le monde
la mission

le rayonnement
s'empare du monde
fille aînée de l'Eglise
le joyau
démocratie française
la déclaration des droits de
/l'homme
la proue de l'Europe
figure avancée
révolutions
les découvreurs
les explorateurs
défense des idéaux
les révolutions
les grands scientifiques

Le champ où votre parole fuse avec une authenticité et une énergie véritables — champ qui se dessine tardivement dans la chronologie de la séquence, qui démarre modestement pour, peu à peu, en arriver à constituer la totalité de la deuxième moitié de la production — est celui de *la France initiatrice*. Tout se passe comme si, spontanément et non sans une certaine surprise, vous découvriez que là réside la gloire dans ce qu'elle a de vivant et de vital.

Cela démarre, non point tant modestement que d'une manière poussive, à coups de poncifs : le rôle dans le monde, la mission, le rayonnement... Le véritable démarrage se produit avec deux entrées : l'appui donné aux autres, et les grands révolutionnaires ont vécu à Paris. Ceci mène à : terre de fomentation, Pasteur, fermentation, Parmentier, germination, bouillon de culture, être inspiré par l'air fermenté... Et dès lors, le thème se déploie avec une pression de plus en plus soutenue, celui d'une France nourricière à l'échelle universelle — la nourrice du monde — les fleuves y prennent naissance, qui ont pour noms Vinci, Picasso, Miro, Hemingway; celui d'une France pépinière et pouponnière de génies venus d'ailleurs, source du cinéma comme de l'aviation; le monde entier s'y ressource, y recharge ses batteries.

Bientôt vous passez des noms aux verbes, et la France dans votre bouche parle à la première personne : je rayonne, j'irradie, je diffuse, je sème, j'essaime, je réunis, je connecte, je branche, je couve. La gloire n'est plus vécue

---

les grands hommes	réalisations industrielles
Panthéon	/françaises
patrie	des grands projets
Jaurès	Le Concorde
Général de Gaulle	Le France
les promoteurs des idées	corsaires
/révolutionnaires	grosse est son histoire
soldat de l'An II	la guerre en gants blancs
empire colonial	l'appui donné aux autres
poilu de 14	versé notre sang
la gloire, ça ne marche plus	résistance
Jeanne d'Arc	charge désespérée
terre de passé	Roncevaux
de monuments	les grands révolutionnaires
de châteaux	/ont vécu à Paris
croisades	Khomeiny
Versailles	Lénine
La Fayette	Ho Chi Minh
armoire pleine	Marx
bric-à-brac	Franklin

au passé mais au présent, elle n'est plus un état ou un acquis mais une façon d'être, elle réside dans une action civilisatrice désintéressée qui englobe jusqu'au champ de la pensée : je conseille, j'explique, j'affirme, je résouds, je commente, je réfute.

Il y a là, dans l'enthousiasme, la manifestation d'une ouverture qui ne s'était jamais encore exprimée : « Venez brouter, je ne cache rien, je suis l'autre ». Il est remarquable que cette ouverture aille toute dans le sens du don, non de l'échange. Il n'y a pas de va-et-vient. Le courant passe de la France vers les autres qui trouvent en elle aliment — « donner au monde, je donne mais ne vends pas » — et là réside la fêlure, à peine perceptible, à peine perçue par vous dans votre élan, mais quand même... Tout se passe comme si la France ne retirait pas d'énergie en retour, ni de profit, de cette dépense. Cela va dans un seul sens. Tout se passe comme si la supériorité française était votre postulat de base, et cette supériorité installe un déséquilibre constitutif du paysage, un déséquilibre contraire à toute réalité durable, et qui fait basculer cette gloire-là dans le registre du fantasme. Vous avez quitté le champ historique, parce qu'il était exsangue, pour entrer dans le champ d'une éternité hallucinatoire : c'est l'essence de la France de rayonner, irradier, donner, semer, initier. De là provient le malaise qui filtre dans les propos qui ont été regroupés sous la rubrique de *la France déchantante* : la gloire liée aux conquêtes, à l'héroïsme et au martyre, la gloire cocori-

---

terre de fomentation
Pasteur
fermentation
Parmentier
germination
être inspiré par l'air
/fermenté
bouillon de culture
plein d'artistes étrangers
génération perdue
Picasso
Miro
Vinci
Hemingway
un creuset
le cinéma
l'aviation
un verger
où Eve...
une source

se ressourcer en France
recharger les batteries
pépinière
pouponnière de génies
les fleuves y prennent
/naissance
la nourrice du monde
notre Louvre-story
premier de l'Europe
bibliothèque de l'Europe
Sorbonne

— Et si l'on passait au « je » ... Je glorieusement...

je rayonne
j'irradie
je diffuse
je génère des génies

quante, ça ne marche plus ; la France est terre de passé, de monuments, de châteaux, armoire pleine, bric-à-brac. Il y a là comme un soupir : n'en parlons plus ! Mais la gloire liée au don d'elle-même que fait la France suscite comme une angoisse quant à la réalité de ce rôle, de cette capacité : « je suis inépuisable... inénarrable... étonnez-vous... ».

Ne quittons pas ce paysage sans relever la résurgence d'un thème qui était apparu notamment dans la séquence 8, celui de la fermentation. Thème qui semble avoir des racines profondes, et qui est remarquable par sa polyvalence. La fermentation, on l'a vu, est liée à la vocation initiatrice de la France : elle est source de vie (germination, fomentation) et principe de régénération (bouillon de culture), toutes choses qui débouchent sur cette formule étonnante : « être inspiré par l'air fermenté ». La France fermente parce que « grosse est son histoire » et cela fait d'elle une accoucheuse (« je mets au monde »). Du côté du nez, la fermentation était liée au processus de décomposition : le faisandé, l'empuanté, la merde, le miasme : zone de jouissance trouble. Enfin, la fermentation renvoie aux thèmes fréquemment apparus : casanier, possesseur, mes biens, qui évoquent la constipation. En s'enfermant chez soi avec ses avoirs qu'il engrange, le Français crée les conditions d'une fermentation qui est tout à la fois objet de délectation, processus de mort, et potentiel d'une nouvelle vie possible pour peu que les murs s'abattent, ou que les parois se fassent poreuses.

---

j'élève le monde
je suis le pélican
donner au monde
je sème
j'essaime
je réunis
je mets au monde
je connecte
je cocorique
je branche
je conseille
je couve
venez brouter
mort au champ d'honneur
je ne cache rien
j'explique
j'affirme
je confirme les talents
je résouds
je commente

je suis la conscience
je lance
élan
je réfute
je suis l'autre
arbitre des modes
    des talents
    des élégances
    des politiques
alpha et oméga
désintéressé
je donne mais je ne vends
    /pas
la mère des peuples
la grande initiatrice
alma mater
je suis inépuisable
inénarrable
étonnez-vous

... la France initiatrice

le rôle dans le monde
la mission
le rayonnement
démocratie française
la déclaration des droits de l'homme
les révolutions
les découvreurs
les explorateurs
les grands scientifiques
Jaurès
les promoteurs des idées
/révolutionnaires
La Fayette
l'appui donné aux autres
les grands révolutionnaires ont vécu
/à Paris
Khomeiny
Lénine
Ho Chi Minh
Marx
Franklin
terre de fomentation
Pasteur
fermentation
Parmentier
germination
être inspiré par l'air fermenté
bouillon de culture
plein d'artistes étrangers
génération perdue
Picasso
Miro
Vinci
Hemingway
un creuset
le cinéma
l'aviation
un verger
où Eve...
une source
se ressourcer en France

recharger les batteries
pépinière
pouponnière de génies
les fleuves y prennent naissance
la nourrice du monde
je rayonne
j'irradie
je diffuse
je génère des génies
j'élève le monde
je suis le pélican
donner au monde
je sème
j'essaime
je réunis
je mets au monde
je connecte
je branche
je conseille
je couve
venez brouter
je ne cache rien
j'explique
j'affirme
je confirme les talents
je résouds
je commente
je lance
élan
je réfute
je suis l'autre
désintéressé
je donne mais je ne vends pas
la grande initiatrice
alma mater

... la France héroïque et martyre

soldats de l'an II
poilu de 14
versé notre sang
résistance
charge désespérée
Roncevaux
mort au champ d'honneur

... la France cocoriquante

fille aînée de l'Eglise
le joyau
la proue de l'Europe
figure avancée
défense des idéaux
les grands hommes
Panthéon
patrie
général de Gaulle
Jeanne d'Arc
Versailles
réalisations industrielles françaises
des grands projets
Concorde
France
grosse est son histoire
notre Louvre-Story
premier de l'Europe
bibliothèque de l'Europe
Sorbonne
je cocorique
je suis la conscience
arbitre des modes
    des talents
    des élégances
    des politiques
alpha et oméga
la mère des peuples
je suis inépuisable

La gloire

... la France conquérante

Napoléon
perçait déjà sous Bonaparte
Louis XIV
la gloire mène à l'amour
conquête
la furie française
orgueil satisfait
tirez les premiers!
s'empare du monde
empire colonial
croisades
corsaires
la guerre en gants blancs

... la France déchantante

la gloire ça ne marche plus
terre de passé
    de monuments
    de châteaux
armoire pleine
bric-à-brac
je suis inépuisable
inénarrable
étonnez-vous

Votre premier mouvement, c'est d'ériger, pour y hisser votre esprit, un *piédestal*. Le monument est constitué, en presque totalité, de vocables creux. Proférés dans une langue de bois, ils occupent, dans le paysage, la même place que, dans la séquence sur la gloire, les propos regroupés dans France conquérante, France héroïque et martyre. On penserait volontiers à une cérémonie officielle, vite expédiée afin qu'on puisse ensuite se soucier de ce qui compte.

Ce qui compte, c'est que votre esprit est surtout et avant tout *contestataire*, et ceci s'applique au mot esprit dans ses deux sens. Lorsqu'il s'agit de l'esprit en tant que capacité intellectuelle, vous l'employez à juger, à critiquer. Lorsqu'il s'agit de l'esprit en tant que capacité de rire ou de sourire des choses réputées sérieuses, vous l'employez à lutter contre l'ordre établi, mais en évitant l'affrontement. Vous exercez votre impertinence, votre ironie; vous raillez, provoquez, ridiculisez et ainsi vous sapez l'autorité, vous « dépiédestalisez ».

Mais on décèle aussi, dans ce thème, un courant carrément destructeur : iconoclaste, vous brûlez, vous déboulonnez, ou bien, mû par le goût de l'obstruction, vous utilisez l'esprit à nier ce qui est. La coloration ici est négative : un certain type d'esprit ne serait-il pas ce qui empêche les Français de croire, de bâtir, d'organiser, d'agir? Les Américains, par exemple, ou les Allemands, à qui il n'est

---

— *Allons-y pour l'esprit. L'esprit et les Français...*

terre où souffle l'esprit
    où triomphe l'esprit
terre des belles lettres et
        /des arts
académique
universelle
je suis poète
libre penseur
imagination
philosophe

contestataire
col dur
impertinence
ironie
les grands philosophes
persifleurs
provoqueur
iconoclaste
contester
railler
brûler
créer et détruire
turbulent
critique

pas reconnu ce type d'esprit, ne tirent-ils pas un profit évident de ce manque? Les Français, eux, y vont de leur turbulence, déblatèrent, persiflent, et une fois qu'on a tout bien déboulonné, on rigole, on boit, on baise, et on se fait hara-kiri. Le principal de l'énergie vitale étant passé dans la contestation, il n'en reste pas assez pour construire, alors... on se la coule douce. Conduite que vous reconnaissez, sur un mode plaisant, comme suicidaire.

Certes, vous reconnaissez à votre esprit bien d'autres *traits particuliers*. Notamment des contradictions qui peuvent être dynamisantes : être à la fois cartésien et rabelaisien, à la fois créer et détruire. Une faiblesse : le goût pour l'abstraction de ce chevalier de logique qu'est le Français fait que l'esprit va son chemin sans la matière... Faiblesse contrebalancée par l'harmonie, l'équilibre, la mesure, mais aussi la finesse, la mobilité de pensée qui permet de créer, de faire des ouvertures. Bilan, somme toute, plutôt positif.

Mais une grande abondance de propos, réunis dans le thème *vaine et frivole agitation,* renvoie à une autre attitude des Français à l'égard de l'esprit. Ou plutôt, à l'égard de ceux dont la profession est de s'occuper des choses de l'esprit. Ce qui se manifeste ici est d'une agressivité toute crue, qui vise l'activité d'une classe perçue comme coupée du réel, inutile, nuisible : les intellectuels. Ce que vous exprimez, par le biais de ce portrait féroce, c'est qu'il y a une coupure entre les intellectuels et l'activité véritable de l'esprit qui devrait être la leur. Sans pouvoir distinguer ce

---

caustique
cohérent
cartésien et rabelaisien
contestataire
frondeur
hauteur de vue
mode intellectuelle
anticonformiste
à la recherche de la
   /reconnaissance officielle
chevalier de logique
chevalier de la légion
         /d'honneur
label
Sacha Guitry
Molière
goût de l'abstraction
   l'obstruction
l'existentialisme

la fin de l'obscurantisme
siècle des lumières
des groupes de pression
des mouvements littéraires
des écoles
des chapelles
des esprits de clocher
des théories fumeuses
querelles pour sauver
        /le monde
des grandes causes
harangues
conversations de bistrots
café du commerce
des thèses
colloque, séminaire
congrès, réunion
on sape
on détruit

qui ici est accusation justifiée de ce qui est anti-intellectua-
lisme a priori, on ne peut manquer d'être frappé par l'état
délabré de la relation entre vous et l'établissement culturel.
  Tardivement dans la séquence, et comme inopiné-

FUMEUX !

on ridiculise
on nie
à bas l'autorité
mais on rigole
on boit
et on baise
on dépiédestalise
et on se refait hara-kiri
l'esprit sans la matière
l'esprit circule
il se meut
immature
adolescent
on chahute
inachevé
ne fixe pas
auto-satisfait
Mai 68
on encense

on enfume
on en chie
on guillotine
on réhabilite
on fait mousser
on brûle
on déboulonne
on juge
on déblatère
et ça recommence
on déconne à plein tube
la vérité
la tolérance
le juste milieu
la culture
on joue, on s'amuse
je suis sérieux
mais ne me prenez pas au
/sérieux

ment, intervient, surgit presque, un interlocuteur : l'étranger. Il est interpellé, comme par un personnage de Guignol, sur un ton d'emphase ridicule : « reconnaissez notre génie, aimez-moi, revenez-nous, ne me quittez pas... ». *Je m'offre à l'étranger* est comme un appel qui, par excès de pudeur, emprunte des accents risibles. Le génie, la belle langue, l'immortelle sagesse des Français, bref leur esprit, sont là, désirables, prêts à une belle rencontre, prêts à l'étreinte : « venez pour mieux nous comprendre, j'entre en vous, je m'insinue, je vous conquiers; dans tout étranger, il y a un Français qui sommeille; vous ne me chassez pas, je suis en vous... » Et puis cette bordée irrésistible : « je suis invincible, je suis unique, je suis irremplaçable, je peux encore servir... » L'intensité comique ici frise l'insoutenable. Comme s'il n'y avait plus à votre disposition d'autre mode que la farce pour exprimer avec dignité, avec décence, l'angoisse qui vous saisit lorsque le monde douillet qui vous enveloppe se désintègre pour faire place à un espace vide.

---

la finesse
ce qu'il faut en penser et en
/dire
la vérité que l'on croit
/détenir
reconnaissez notre génie
une vision d'autre chose
ouverture
je crée
le mouvement
l'harmonie
l'équilibre
la mesure
aimez-moi
revenez-nous
ne me quitte pas
venez pour mieux nous
/comprendre
j'entre en vous

je m'insinue
je vous conquiers
dans tout étranger, il y a un
/Français qui sommeille
je suis partout
vous ne me chassez pas, je
/suis en vous
je suis invincible
unique
irremplaçable
je peux encore servir
ma belle langue
chargée d'histoire
pourquoi ne vous en
/servez-vous pas ?
je suis l'immortelle sagesse

... *vaine*
et frivole agitation

mode intellectuelle
à la recherche de la reconnaissance
/officielle
chevalier de la légion d'honneur
label
l'existentialisme
des groupes de pression
des mouvements littéraires
des écoles
des chapelles
des esprits de clocher
des théories fumeuses
querelles pour sauver le monde
des grandes causes
harangues
conversations de bistrot
café du commerce
des thèses
colloque, séminaire
congrès, réunion
immature
adolescent
on chahute
inachevé
ne fixe pas
autosatisfait
mai 68
on encense
on enfume
on en chie
on guillotine
on réhabilite
on fait mousser
et ça recommence
on déconne à plein tube
on joue, on s'amuse
je suis sérieux
mais ne me prenez pas au sérieux
ce qu'il faut en penser et en dire
la vérité que l'on croit détenir

L'esprit

...le piédestal

terre où souffle l'esprit
terre où triomphe l'esprit
terre des belles-lettres et des arts
académique
universelle
je suis poète
imagination
philosophe
col dur
les grands philosophes
cohérent
hauteur de vue
la fin de l'obscurantisme
siècle des lumières
l'esprit circule
il se meut
la vérité
la tolérance
le juste milieu
la culture

... je m'offre
à l'étranger

reconnaissez notre génie
aimez-moi
revenez-nous
ne me quitte pas
venez pour mieux nous comprendre
j'entre en vous
je m'insinue
je vous conquiers
dans tout étranger il y a un Français
/qui sommeille
je suis partout
vous ne me chassez pas, je suis en
/vous
je suis invincible
unique
irremplaçable
je peux encore servir
ma belle langue
chargée d'histoire
pourquoi ne vous
/en servez-vous pas?
je suis l'immortelle sagesse

... contestataire

libre-penseur
contestataire
impertinence
ironie
persifleur
provoqueur
iconoclaste
contester
railler
brûler
turbulent
critique
caustique
contestataire
frondeur
anticonformiste
Sacha Guitry
Molière
goût de l'obstruction
on sape
on détruit
on ridiculise
on nie
à bas l'autorité
mais on rigole
on boit
et on baise
on dépiédestalise
et on se refait hara-kiri
on brûle
on déboulonne
on juge
on déblatère

... traits
particuliers

créer et détruire
cartésien et rabelaisien
chevalier de logique
goût de l'abstraction
l'esprit sans la matière
la finesse
une vision d'autre chose
ouverture
je crée
le mouvement
l'harmonie
l'équilibre
la mesure

30 – La Révolution

La Révolution bruisse encore, palpite discrètement dans votre conscience. Certes, le souvenir de l'événement en lui-même s'est estompé : les évocations concrètes de ce que furent sa *violence*, son *enthousiasme*, ne surgissent que de loin en loin. Mais ses *apports*, eux, restent bien présents. Ce que la Révolution représente aujourd'hui pour vous, c'est une capacité de vous ouvrir, et ce, dans les deux sens : accueillir chez vous, transmettre aux autres. Parmi les apports de la Révolution, c'est la liberté qui suscite, et de loin, le plus grand nombre de prises de parole — elle et les droits qui la fondent institutionnellement. La liberté, non seulement conquise pour soi de haute lutte, mais apportée au reste du monde, témoin la statue plantée par vos soins devant New-York : « je vous déchaîne, je vous révèle à vous, la liberté je vous l'apporte, je vous la montre, je vous aide à l'acquérir, je suis un exemple », et ce cri : « ça, je sais l'exporter... ».

Ce « ça » renvoie, non sans humour, non sans douleur, aux séquences précédentes où vous rouliez des pensées moroses sur votre absence d'élan et de savoir-faire lorsque vous êtes à l'étranger pour vendre, pour conquérir des marchés...

« Terre d'asile, terre d'accueil, assimilation des étrangers, libre brassage, je suis la terre promise » : cette série amorcerait-elle un tournant par rapport aux thèmes

---

— Allons-y pour la Révolution et les Français...

liberté
la statue
l'auto-décolonisation
terre d'asile
    d'accueil
pas de liberté pour les
    /ennemis de la liberté!
qui n'a rien fait pour la
    /République est contre la
           /République
la fleur au fusil

tolérance
le respect d'autrui
la veuve et l'orphelin
le droit de s'opposer
    des minorités
    des régions
le droit à l'abondance
le droit à la différence
pour quoi faire?
suffrage universel
égalité
avènement de la bourgeoisie
bourgeonner
guillotiner
briser le carcan de la religion

largement dominants jusqu'à présent de l'enfermement et de la méfiance? Il y a là un sursaut. Une nostalgie s'exprime, celle de la générosité, et un désir pointe, celui de se ressourcer dans une valeur qui s'est laissée contrarier. Le sursaut s'accompagne de soubresauts : le droit à la différence, oui mais pour en faire quoi? Préserver la liberté? Oui, la mienne! Notes discordantes, montrant la résistance qui s'oppose, à l'intérieur de vous-même, à ce désir.

Et puis, la Révolution, c'est une péninsule de contradictions qui cherche encore son sens. Vous y voyez un acte d'auto-décolonisation, mais aussi une passerelle jetée entre les puissants et les opprimés. A moins qu'elle ait été surtout l'expression de l'éternelle insatisfaction d'un peuple qui ne se sent à l'aise que dans l'insoumission. Mais n'a-t-elle pas été aussi une façon de refuser la domination étrangère, l'insupportable ingérence des étrangers? Cette touche d'interprétation chauvine, à la confronter à la série « terre d'asile », est indicative de la tension non résolue entre les deux mouvements : accueil, rejet, qui marquent votre attitude à l'égard de ceux qui ne sont pas vous.

---

la tête près du bonnet
l'éternelle insatisfaction
le goût des perdants
    du risque
péninsule de contradictions
refus de la dominance
    /étrangère
de l'ingérence des
    /étrangers
assimilation des étrangers
libre brassage
bouillon de culture
tradition d'insoumission
chienlit
fronde
barricade
et l'état barricade
pas d'interdits
accueil
je suis la terre promise
je vous apporte la liberté
je vous la montre
je vous aide à l'acquérir
je suis un exemple
    un symbole

ça, je sais exporter
je suis du côté des petits
    des écrasés
    des
    /subversions
si tous les gars du monde...
défenseur du faible et de
    /l'opprimé
. contre tout despotisme
je respecte qui pense
    /autrement
je suis laïc public obligatoire
je suis la passerelle entre
    /les puissants et les
    /opprimés
je vous déchaîne
    révèle à vous
je vous promets la liberté
je cherche à l'améliorer
    à la perfectionner
je vous la préserve
je veux préserver ma liberté
la mienne

... ses apports

liberté
la statue
terre d'asile
        d'accueil
tolérance
le respect d'autrui
la veuve et l'orphelin
le droit de s'opposer
        des minorités
        des régions
        à l'abondance
        à la différence
pour quoi faire?
suffrage universel
égalité
assimilation des étrangers
libre brassage
bouillon de culture
chienlit
l'état barricade
pas d'interdits
accueil
je suis la terre promise
je vous apporte la liberté
je vous la montre
je vous aide à l'acquérir
je suis un exemple
        un symbole
ça, je sais l'exporter...
je respecte qui pense autrement
je suis laïc public obligatoire
je vous déchaîne
        révèle à vous
        promets la liberté
je cherche à l'améliorer
                à la perfectionner
je vous la préserve
je veux préserver ma liberté
la mienne

... enthousiasme

la fleur au fusil
bourgeonner
si tous les gars du monde...

La Révolution

... violence

pas de liberté pour les ennemis de la
/liberté
qui n'a rien fait pour la République est
/contre la République
guillotiner
la tête près du bonnet
barricade

... son sens

l'auto-décolonisation
avènement de la bourgeoisie
brisé le carcan de la religion
l'éternelle insatisfaction
le goût des perdants
du risque
péninsule de contradictions
refus de la domination étrangère
refus de l'ingérence des étrangers
tradition d'insoumission
fronde
je suis du côté des petits
des écrasés
des subversions
défenseur du faible et de l'opprimé
contre tout despotisme
je suis la passerelle entre puissants et opprimés

31 – En résumé... (II)

Ayant parcouru les parties du corps, les contrées étrangères, les symboles et valeurs, à ce stade de votre exploration voici que vous marquez une pause, et faites le point sur l'image que vous avez de vous-même.

C'est le voyage à l'étranger, plus que tout, qui a laissé ses marques, et le thème dominant du paysage qui à présent se découvre, *pas à l'aise,* est la résurgence, mais autrement puissante, du leitmotiv déjà apparu : autant on est bien chez soi et entre soi, autant on n'est pas bien ailleurs et avec les autres. Entre Français pas de problèmes, on se met à poil, tandis qu'à l'étranger on craint d'être découvert, révélé, alors on se balade masqué : on ne peut pas se permettre de se dévoiler tel qu'on est. A quoi tient cette gêne? C'est que le Français est unique, très différent des autres, alors que les étrangers sont conformes. Vous exprimez là un complexe à l'état pur, celui de ne pas appartenir à la famille, d'être le bébé canard chez les cygnes. Vous vous sentez seul, hanté par l'impression que les étrangers ne vous aiment pas, et vous vous demandez si vous jouez « un rôle » à l'étranger. Autrement dit, êtes-vous légitime? Ce doute fait qu'à l'étranger, vous n'avez pas confiance en vous, aussi restez-vous à l'hôtel : là, vous pouvez enlever votre masque.

Ce masque, nous apprenons en détail ce qu'il est en parcourant l'autre élément de relief majeur de cette séquence : *le plus beau.* Dès lors que vous vous aventurez

---

(à la reprise, le lendemain matin)
—*Pour repartir, on va faire un point sur tout ce que nous avons déjà vu... Les Français vus par eux-mêmes... En résumé.*

le Français est plus
/organique qu'intellectuel
il se sert de ses sens pour
/se forger sa propre
/conviction

pas lucide
pas sévère avec lui-même
unique et très différent des
/autres
individualiste
un tas de défauts dont on
/dégage les traits communs
alors que les étrangers sont
/conformes
chauvin et maniaque
auto-critique
pas à l'aise à l'étranger
ne se dévoile pas tel qu'il est
à poil entre Français

hors du refuge de votre hôtel, vous vous mettez en œuvre d'étonner, de séduire : vous pouvez le faire, puisque vous êtes le plus beau, le plus malin. Fier de vous, fier de votre histoire, vous prenez les autres pour des cons; du reste, les autres sont des barbares, des primaires. On retrouve le fanfaron des séquences 17 et 18 qui plastronne et, confiant dans sa bonne étoile, recherche le défi, l'action d'éclat. « L'éclat c'est moi ».

Mais la réalité qui fait mal, c'est qu'entre *dire et agir*, il y a chez vous un fossé que vous répugnez à franchir. La magie du verbe, mais pas d'efficacité dans le passage des paroles à l'acte. Les choses, pas trop les réaliser. La bouche a préséance sur le corps agissant.

Pour le reste, davantage qu'auparavant vous vous percevez comme *un drôle de mélange*. Plus organique qu'intellectuel et pourtant auto-critique, vous servant de vos sens plutôt que de votre tête pour vous forger votre propre conviction, et par conséquent peu lucide, vous n'êtes pas sévère avec vous-même autant qu'il le faudrait. Chauvin et maniaque, fonceur et retenu, mi-ange mi-bête, vous êtes capable du meilleur comme du pire, mais les points négatifs sont à vos yeux plus précis que les positifs... Les positifs sont flous. L'image s'est faite confuse, comme brouillée. Tel est le résultat du voyage à l'étranger où les belles certitudes du Français tapi chez lui ont été mises à l'épreuve et ébranlées.

Ces belles certitudes, ce sont celles-là mêmes dans

---

joue-t-il un rôle à l'étranger ?
pas confiance en lui à
/l'étranger
se balade masqué
hédoniste
il fuit les autres Français
en guerre avec tout le
/monde
les points négatifs sont plus
/précis que les positifs
les positifs sont flous
fier de lui, de son histoire
capable d'étonner, de
/séduire
il peut le faire
il est le plus beau
prend les autres pour des
/cons
le plus malin
les autres sont des barbares

capable du meilleur comme
/du pire
mi-ange mi-bête
il le fera demain
quand il aura le temps
mais les autres doivent le
/faire
fonceur et retenu
prend les autres pour des
/primaires
les choses, pas trop les
/réaliser
magie du verbe
mais pas d'efficacité des
/paroles à l'acte
brouillon
pas organisé
pas professionnel
amateur
touche-à-tout

lesquelles vous vous étiez pourtant installé lorsque vous aviez fait votre première pause (séquence 13). Là, vous vous étiez reconnu supérieur et cérébral, casanier et possesseur, méfiant et vigilant, raffiné et jouisseur. A présent, tout cela en prend un coup et vous voyez votre image de vous-même vaciller. Déjà était apparue, dans cette même séquence, une blessure (la peur de l'autre, l'autre c'est l'ennemi, on a été trahi). Celle-ci se fait maintenant plus apparente, plus sensible.

compense par la suffisance
confiant dans sa bonne étoile
voyage pour voyager
mais ça l'emmerde
voyage pour raconter
pas très curieux
reste à l'hôtel
il se trouve mal à l'étranger
crainte d'être découvert
révélé
il se trouve bien en France
la bouffe, le bistrot
sentiment d'infériorité par
   /rapport aux étrangers
sentiment de supériorité
      /dans l'hexagone
en France, tous les Français
        /sont rois
pas gentil pour l'étranger en
      /France

l'étranger doit en baver
impression que les
   /étrangers ne l'aiment pas
relations individuelles : les
   /préfère aux relations de
      /groupe
un peu seul
n'aime pas la facilité
recherche la difficulté, le
      /défi
l'action d'éclat
l'éclat c'est moi
le panache
se veut raffiné
parce qu'il a la réputation
      /d'être sale
la capitale des parfums, pas
      /du savon!

... un drôle de mélange

plus organique qu'intellectuel
se sert de ses sens pour se forger sa
/propre conviction
pas lucide
pas sévère avec lui-même
individualiste
un tas de défauts dont on dégage les
/traits communs
chauvin et maniaque
auto-critique
hédoniste
les points négatifs sont plus précis
/que les positifs
les positifs sont flous
capable du meilleur comme du pire
mi-ange mi-bête
fonceur et retenu

... pas à l'aise

unique et très différent des autres
alors que les étrangers sont conformes
pas à l'aise à l'étranger
ne se dévoile pas tel qu'il est
à poil entre Français
joue-t-il un rôle à l'étranger?
pas confiance en lui à l'étranger
se balade masqué
il fuit les autres Français
en guerre avec tout le monde
voyage pour voyager
mais ça l'emmerde
voyage pour raconter
pas très curieux
reste à l'hôtel
il se trouve mal à l'étranger
craint d'être découvert
révélé
il se trouve bien en France
la bouffe, le bistrot
sentiment d'infériorité vis-à-vis des
/étrangers
sentiment de supériorité dans
/l'hexagone
en France les Français sont rois
en France les étrangers doivent en
/baver
impression que les étrangers ne
/l'aiment pas
un peu seul

... le plus beau

fier de lui, de son histoire
capable d'étonner, de séduire
il peut le faire
il est le plus beau
prend les autres pour des cons
le plus malin
les autres sont des barbares
il le fera demain
quand il aura le temps
mais les autres doivent le faire
prend les autres pour des primaires
compense par la suffisance
confiant dans sa bonne étoile
n'aime pas la facilité
recherche le défi
l'action d'éclat
l'éclat c'est moi
le panache
se veut raffiné
parce qu'il a la réputation d'être sale
Paris capitale des parfums, pas
/du savon!

En résumé... (II)

... dire et agir

les choses, pas trop les réaliser
magie du verbe
mais pas d'efficacité des paroles à l'acte
brouillon
pas organisé
pas professionnel
amateur
touche-à-tout

173

Cinquième partie

LE DEVENIR DES FRANÇAIS

32 – Le Français évolue

Contre toute attente, vous êtes plutôt satisfait, et vous vous sentez ragaillardi, quand vous tournez votre regard sur la façon dont vous évoluez. D'une façon générale, *vous vous améliorez* : déjà « ça a changé » et dans la bonne direction : il y a plus de professionnalisme et... plus de modestie. Vous êtes plus propre, plus éduqué. Et même (mais votre parole, sur ce thème, tourne court) *vous attaquez.*

Le principal, c'est que *vous vous ouvrez.* Vous attrapez conscience du danger qu'il y a à se calfeutrer chez soi bien au chaud dans son coin. Vous laissez pénétrer les modes de vie étrangers; vous ne crachez plus sur le fast food; vous ne vous contentez plus de parler votre propre langue.

Cela ne va pas sans quelque résistance : dehors « il fait plus froid », et en sortant de chez soi, qui sait si on ne va pas « perdre son identité »? D'une certaine façon *ça va moins bien* dès qu'on laisse passer l'air. N'empêche! Il le faut! Il faut voyager. « Voyager plus, de plus en plus ».

Voici un surprenant retournement... Ne disiez-vous pas tout à l'heure combien à l'étranger vous vous sentiez mal dans votre peau, désemparé, à peine sorti qu'obsédé par l'idée de rentrer?

Mais peut-être y a-t-il voyage et voyage. Le voyage

— L'éclat, c'est moi...
Le panache... Ça, c'est
le Français tel qu'il est.
Mais le Français,
qu'est-ce qu'il devient?
Allons-y pour le
Français tel qu'il
évolue...

ça a changé
plus propre
plus éduqué
plus professionnel
plus de modestie

on parle les langues
on véhicule une meilleure
/image
il fait plus froid
maintenant, il y a des salles
/de bains dans les hôtels
y a du savon
les Français voyagent plus
il attrape conscience
il perce
il se met en pointe
en proue
la pénétration des modes de
/vie étrangers

176

qui oblige à être en prise sur le monde réel (vous êtes en mission, vous traitez des affaires), et le voyage d'évasion. Tout à l'heure vous évoquiez le premier. A présent vous êtes dans l'autre. Et tout change. Lorsque *vous vous évadez*, adieu le malaise, « on sac-à-dosse », « on se planche à voile », « on se nouvelles frontières ». Bref, par un tour de passe-passe inconscient vous confondez les deux natures de voyage et croyez lire, dans la formidable poussée du voyage-loisir, les signes d'un retournement dans votre relation avec l'étranger. Bref, vous vous évadez dans l'évasion... Car le voyage pour s'évader, « pour s'évaser », est précisément celui où vous vous servez du domaine extérieur pour votre consommation, sans avoir besoin de le rencontrer, de l'affronter. Un quiproquo s'est produit, qui vous autorise à voir l'avenir sans trop d'inquiétude. L'évasion, qui domine ce paysage, n'est pas celle du prisonnier qui s'échappe de sa cellule et recouvre la liberté avec ses problèmes et ses dangers; la cellule, vous l'emmenez avec vous.

fast food
alphabétisation
médecins sans frontières
perte d'identité
on se rejoint dans le
/matérialisme franglais
besoin d'évasion
on s'évase
on sac-à-dosse
on se coca-cole
on se planche-à-voile
on se nouvelles frontières
les jeunes voyagent de plus
/en plus
de plus en plus tôt
loin
vite
y z'y vont par eux-mêmes
l'aventure
Paris-Dakar
la Course du Rhum
le 3e âge qui développe les
/voyages

les maisons de jeunes et de
/la culture
les très jeunes qui voyagent
on a l'air plouc sans avoir
/voyagé
le retour à la terre
passer ses vacances en
/Limousin
théâtres régionaux
curieux
des conférences sur les
/pays lointains
connaissance du monde
reportage
partir
les 5 semaines de congés payés
les sports d'hiver
on consomme plus
on thésaurise moins
on dépense pour les
/vacances : moins au
/restaurant
vols vacances

... ça va
moins bien

il fait plus froid
perte d'identité
on se rejoint dans le matérialisme franglais
on se coca-cole

... il s'évade

besoin d'évasion
on s'évase
on sac-à-dosse
on se planche à voile
on se nouvelles frontières
les jeunes voyagent de plus en plus
de plus en plus tôt
                    loin
                    vite
y z'y vont par eux-mêmes
l'aventure
Paris-Dakar
la course du Rhum
le 3e âge qui développe ses voyages
les très jeunes qui voyagent
ont l'air plouc sans avoir voyagé
le retour à la terre
passer ses vacances en Limousin
curieux
des conférences sur les pays lointains
connaissance du monde
reportage
partir
les 5 semaines de congés payés
les sports d'hiver
on consomme plus
on thésaurise moins
on dépense pour les vacances :
                    /moins au restaurant
vols vacances

... *il s'ouvre*

on parle les langues
les Français voyagent plus
il attrape conscience
la pénétration des modes de vie
/étrangers
fast food
médecins sans frontières
curieux

... *il attaque*

il perce
il se met en pointe
en proue

Le Français évolue

... *il s'améliore*

ça a changé
plus propre
plus éduqué
plus professionnel
plus de modestie
on véhicule une meilleure image
maintenant il y a des salles de bain
/dans les hôtels
y a du savon
alphabétisation
les maisons des jeunes et de la
/culture
théâtres régionaux

À L'ATTAQUE !

33 – Le Français se déverrouille

Remarquable, le sursaut qui se produit par rapport à la séquence précédente. Comme si l'évasion, vous aviez reconnu en elle le contraire d'une véritable ouverture. Comme si la Belle au Bois Dormant se réveillait, se frottait les yeux... Comme si vous jetiez un regard vrai, cette fois, sur votre situation et sur les perspectives de votre évolution. Bref, ici vous « attrapez conscience » pour de bon.

La richesse des thèmes qui surgissent frappe autant que la densité de leur contenu. *Regarder :* « je commence à regarder, je dois tout voir, ouvrir les yeux »; quel contraste avec ce qui était apparu dans la séquence sur l'œil, où l'organe de la vue était avant tout une arme de police affectée à une fonction de garde, de vigilance! Maintenant, vous dites : il faut voir vrai, sortir des caricatures, considérer les autres sans déformation d'image. Et *s'ouvrir :* devenir plus accessible aux autres. Du coup, il sera possible de *s'intégrer au monde :* « je me sens moins français et veux m'intégrer, je ne suis plus seul, finalement on m'aime bien », même si « la personnalité française est si étrange ».

On entend là comme une réponse aux voix qui, dans la séquence 31, entonnaient la chanson du petit canard chez les cygnes, « se baladant masqué », tant il était habité par la certitude que « les étrangers ne l'aiment pas ».

— Est-ce qu'on peut dire « je »? Je quoi?

je commence à regarder
je deviens professionnel
moins de complexes
moins de blocages
je suis de plus en plus
/détendu
je n'hésite plus devant
/l'avion
je veux me battre à armes
/égales
je connais mes faiblesses et
/les déplore

je me sens moins Français
/et veux m'intégrer
j'accepte d'être un terrain
/de concurrence
plus accessible
plus ouvert
comme une renaissance
un gagnant et non un
/perdant
je dois vendre mon produit
ça devient plus difficile
je dois me battre
je dois acquérir des qualités
je dois tout voir
ouvrir les yeux

S'intégrer, voilà qui exige au préalable de *descendre de son piédestal* : vous mettez votre orgueil au fond de votre poche, vous arrêtez de vous auto-satisfaire, vous ne vous reposez plus sur Jeanne d'Arc. Autrement dit, vous ne vous prenez plus pour *le plus beau*, vous ne prenez plus « les autres pour des cons ».

Dès lors, vous pouvez *cesser de gémir* — vous arrêtez de sangloter, de vous plaindre, de vous apitoyer — parce que vous êtes en train de *regagner confiance*. Là est le fait marquant de la séquence. Là est à la fois le thème central et l'élément de relief dominant de ce paysage. Vous avez « moins de complexes, moins de blocages », vous êtes « de plus en plus détendu, vous n'hésitez plus devant l'avion ». Les retrouvailles avec la confiance sont perçues comme la clé du problème, la clé qui déverrouille : « c'est comme une renaissance » dites-vous, et vous ajoutez : « je suis français » sans plus vous dresser sur vos ergots, sans non plus dénigrer votre pays. « Quand je veux, je peux ».

La confiance regagnée permet au guerrier de se reconstituer, de *s'armer,* et ce thème vient comme un contrepoids à quantité de leitmotivs que nous avons entendus : imprévoyant, inefficace, amateur aimable etc. Vous armer, c'est acquérir lucidité et sévérité à l'égard de vous-même, c'est reconnaître vos faiblesses et développer vos qualités; en un mot, c'est mûrir afin de « devenir adulte », autre façon de dire « professionnel ». Car l'amateurisme est l'une des deux principales faiblesses actuelles des Français, l'autre étant la routine qu'il faut « balancer ». Pour le reste, vous ne manquez pas d'armes : vous avez « des atouts », vous avez pris « de nouveaux modules ». De telle sorte que vous êtes prêt à *vous battre*. Vous battre sans

---

je ne suis plus seul	quand je veux, je peux
je dois convaincre	j'ai pris de nouveaux
je ne veux plus qu'on	/modules
/m'écrase	je sais m'écraser
ne plus passer pour un rigolo	m'imposer
je balance la routine	finalement, on m'aime bien
j'ai des atouts	je suis honnête
je suis Français	je crois plus à l'individu
je veux vendre des produits	j'ai su mettre mon orgueil
/meilleurs	/au fond de ma poche
plus confiant	personnalité française si
j'ai réalisé des coups	/étrange
je me suis rendu compte	je ne dénigre plus mon pays
/que les autres ne sont pas	plus grand chose à prouver
/meilleurs	sortir des caricatures

complexe d'échec : « je ne veux plus qu'on m'écrase », j'entends être « un gagnant plutôt qu'un perdant ». Et vous voulez vous battre « à armes égales », sans chercher avant tout la protection, en utilisant vos moyens propres : « je dois convaincre, imposer ».

Que penser de cette séquence? Elle marque un événement dans votre parcours, un moment où votre parole change soudain de tonalité. La combinaison de supériorité et de dérision laisse place à un discours simple et direct sur vous-même — comme si le registre précédent avait conduit à une angoisse par trop insupportable, littéralement à un vomissement. L'événement qui se produit est une « catharsis », une purge. Celle-ci ne résoud rien des difficultés, des problèmes, des contradictions. Mais elle ouvre au moins la voie à une démarche constructive. On remarque l'abondance des formes volontaristes qui vous viennent à la bouche : « je dois, je veux ». Tout naturellement c'est une exhortation qui s'ensuivra.

il y a des pays qui vont
/moins bien
enlever le complexe français
je suis Français, pas plus
/con qu'un autre
la foi
j'arrête de sangloter
de me plaindre
de m'apitoyer
de m'auto-satisfaire
il ne se repose plus sur
/Jeanne d'Arc
mon mouchoir est humide
l'échec, c'est pas la faute à
/l'autre

l'échec, c'est pas la faute à
/la politique
ma personnalité est
/suffisante
imposer mon produit
vendre = imposer
devenu adulte
professionnel

... descendre
de son piédestal

j'ai su mettre mon orgueil au fond
/de ma poche
plus grand-chose à prouver
j'arrête de m'auto-satisfaire
il ne se repose plus sur Jeanne d'Arc
l'échec, c'est pas la faute à l'autre
l'échec, c'est la faute à la politique

... s'armer

je deviens professionnel
je connais mes faiblesses et les
/déplore
je dois acquérir des qualités
je balance la routine
j'ai des atouts
j'ai pris de nouveaux modules
devenu adulte
professionnel

... s'intégrer
au monde

je me sens moins français et veux
/m'intégrer
je ne suis plus seul
finalement, on m'aime bien
personnalité française si étrange

... se battre

je *veux* me battre à armes égales
j'accepte d'être un terrain de
/concurrence
un gagnant et non un perdant
je *dois* vendre mon produit
ça devient plus difficile
je *dois* me battre
je *dois* convaincre
je ne *veux* plus qu'on m'écrase
je *veux* vendre des produits meilleurs
imposer mon produit
vendre = imposer

... cesser de gémir

j'arrête de sangloter
de me plaindre
de m'apitoyer
mon mouchoir est humide

Le Français
se déverrouille

... regarder

je commence à regarder
je dois tout voir
ouvrir les yeux
sortir des caricatures

... regagner
confiance

moins de complexes
moins de blocages
je suis de plus en plus détendu
je n'hésite plus devant l'avion
comme une renaissance
ne plus passer pour un rigolo
je suis français
plus confiant
j'ai réalisé des coups
je me suis rendu compte que les
/autres ne sont pas meilleurs
quand je veux, je peux
je sais m'écraser
m'imposer
je suis honnête
je crois plus à l'individu
je ne dénigre plus mon pays
il y a des pays qui vont moins bien
enlever le complexe français
je suis français, pas plus con qu'un
/autre
ma personnalité est suffisante

... s'ouvrir

plus accessible
plus ouvert

Dans l'excitation provoquée par l'événement que vous venez de vivre, vous faites un saut grammatical, vous passez à la deuxième personne du singulier (« tu as tous les atouts ») et à l'impératif (« aie confiance! ») Vous interpellez le Français en cours de mutation, qui n'est autre que vous-même, vous allez lui annoncer la bonne nouvelle, et l'exhorter...

Mais c'est trop. Le ton simple et direct de la vague de paroles précédentes ne se maintient plus de façon constante, retombe ici et là dans l'emphase et l'ironie, comme si vous sentiez avec effroi que vous êtes allé trop loin, et comme si vous cherchiez refuge à nouveau dans une parole inauthentique.

Deux éléments de relief notamment : *ne te décourage pas*, et *pronostic radieux* sont hérissés de sentences et de maximes qui font penser à un système de fortifications. Par contre, le thème qui domine la séquence : *ce que je te recommande* conserve quelque chose de la fraîcheur et de la vigueur du paysage précédent. Quatre motifs s'entrelacent dans cette homélie :

— sois persévérant; tu tends trop à agir par à-coups plutôt que par grands flux.

— deviens un professionnel; prépare tes voyages, connais tes produits; si tu veux construire une tour, commence par la fonder.

— sois modeste; de l'humilité; tire les leçons; ne vends par la peau de l'ours; arrête de porter ton passé.

— *Que lui disons-nous, à ce Français?*

aie confiance
tu rayonneras sur le monde
/à nouveau
sois persévérant
tu as tous les atouts
touche-à-tout
le monde ne s'est pas fait en
/un jour
ton vieux pays en a vu
/d'autres

pas d'affolement
ce n'est qu'un échec
tirons les leçons
si tu peux encaisser...
victoire après la défaite
tu seras un homme mon fils!
on a des arrières qui nous épaulent
on a des épaules
le plus mauvais est passé
si tu veux construire une
/tour, commence par la fonder
l'engourdissement
arrête de porter ton passé

— sois ouvert, sois sûr de toi, et reste toi-même :
ce sont les trois fondements de la tour que tu as
l'ambition d'élever.

Quelques *grains de sable* se mêlent à ce flot de propos toniques. Parfois par un glissement verbal : « tu as
tous les atouts » entraîne « touche-à-tout »... Parfois par
un mécanisme plus obscur, tel le surgissement, hors de
tout contexte immédiat, d'« engourdissement », vocable
qui n'était jamais encore apparu, et qui soudain condense,
dans ses cinq syllabes, tous les éléments d'un diagnostic en
cours de formation. « Tabassez-vous les uns les autres »
est comme un écho moqueur à la succession de recomman-
dations un peu empesées qui font penser au sermon prononcé par Polonius à son fils embarquant pour l'étranger...
Mais surtout, la séquence se termine de façon surprenante.
Brusquement, elle prend un tournant vers l'éclat de rire. Le
déclic, c'est l'adjectif « petit » qui, dans un premier temps,
vient contrebalancer humoristiquement la gravité du discours pédagogique sur les voyages, les produits. A partir
de là, vous prenez conscience de ce qu'implique l'usage, si
« français », du mot « petit », mot rassurant qui vient
arrondir les angles du réel quand on parle à un enfant, en
fait quand on parle à qui que ce soit, quand on se parle à soi-
même... Mot tampon, mot amortisseur. Ainsi le « petit
poème » par lequel se conclut la séquence est comme une
façon pour vous de vous dire à vous-même qu'il vous reste
beaucoup à faire pour sortir de votre cocon, pour mettre fin
à votre état de langueur, à votre engourdissement...

---

ne vends pas la peau de /l'ours	— *les petits...?*
sois clair et net	un petit peu
accepte de te battre	un petit coin
de l'humilité	petit voyage
de la modestie	petit noir
et sois ouvert	petit coin
sois sûr de toi	petit câlin
reste toi-même	petit pipi
cesse de te battre contre /toi-même d'abord	petit dodo
	petit bonhomme de chemin
tabassez-vous les uns les /autres	mais y a le grand Charles
	petit Français
le Français commence à /s'assumer	petit instant
	petit pas
prépare tes voyages	petit blanc
connais tes produits	petit plaisir
un petit voyage	petit malin
un petit produit	les petits Français

... ne te décourage pas

tu as tous les atouts
le monde ne s'est pas fait en un jour
ton vieux pays en a vu d'autres
pas d'affolement
ce n'est qu'un échec
si tu peux encaisser...
on a des arrières qui nous épaulent
on a des épaules

... le grain
de sable

touche-à-tout
l'engourdissement
tabassez-vous les uns les autres
un petit voyage
un petit produit...

... pronostic radieux

tu rayonneras sur le monde à
/nouveau
victoire après la défaite
tu seras un homme, mon fils!
le plus mauvais est passé
le Français commence à s'assumer

Exhortation

... ce que je te recommande

aie confiance
sois persévérant
tirons les leçons
si tu veux construire une tour
/commence par la fonder
arrête de porter ton passé
ne vends pas la peau de l'ours
sois clair et net
accepte de te battre
de l'humilité
de la modestie
et sois ouvert
sois sûr de toi
reste toi-même
cesse de te battre contre toi-même d'abord
prépare tes voyages
connais tes produits

35 – *Je regarde*

La défaillance que vous avez connue au cours de la séquence précédente n'aura été que passagère... En effet, l'élan pris dans la séquence 33 non seulement se retrouve mais s'amplifie, avec le retour au « je », avec le retour surtout de l'un des éléments de relief de cette séquence, mais qui s'y trouvait tout juste ébauché, alors qu'à présent il se déploie jusqu'à occuper la totalité du paysage : je regarde...

Vous vous regardez *vous-même*, avec lucidité, sans complaisance (« je reconnais mes œillères »), sans dérision non plus (« je me retrouve sans me renier »). Mais surtout, vous regardez *les autres :* comment ils vivent, comment ils sont, et vous acceptez la différence, ainsi que, là où elle existe, leur supériorité. La parole est à nouveau simple et directe, comme l'est le regard dont on parle : vous ne regardez plus « par-dessus » ni « en dessous ». Le contraste est éclatant avec le regard tordu de la séquence 9. Il est significatif que le passage à l'oreille se fasse tout naturellement : — « j'écoute simplement, avant on n'écoutait pas » — tant il est vrai que, dans une attitude d'ouverture, le regard ne se conçoit pas sans l'écoute.

C'est que l'œil dont il s'agit maintenant n'est plus le même, c'est *d'un œil nouveau* que vous regardez, au point que, dites-vous, « je subis une mutation physique, mes yeux se retournent dans le globe, je ne reconnais plus mes paysages ». Vous qui tendiez à concentrer toute votre activité dans la bouche et la tête, voici que vous découvrez que

---

— *Moi, petit Français, j'évolue. Qu'est-ce qui est le plus important dans mon évolution ?* *(La première réponse venant du groupe est :* « *je regarde* »)*. Qu'est-ce que je regarde ?*

les autres
comment y vivent
comment y sont
mes qualités
mes défauts

je recherche leurs qualités
pourquoi ils réussissent
je deviens observateur
je sais regarder
séduire plutôt que conquérir
comparer et conclure
j'analyse
je regarde avec œil de
/découvreur
et non de critique
je démonte
je décompose
j'accepte la différence
je regarde à 2 fois

vous possédez l'organe de la vue et que celui-ci est fait pour voir, et qu'il est important de voir, et même que vous prenez plaisir à exercer ce sens. Vous devenez observateur. Vous regardez avec un œil de découvreur et non plus de critique. Vous jugez moins et vous cherchez plus. Vous regardez pour apprendre et créer. Vous y prenez goût.

Cela étant, vous conservez votre capacité, liée à la tête, de regarder *d'un œil analytique :* vous démontez et décomposez afin de comparer et de conclure. Mais, ce qui est plus inattendu, vous regardez *d'un œil combattant.* Car vous avez pris conscience de l'importance du regard dans les batailles de la vie réelle. Le regard est ce qui permet de ne pas se tromper, or « ça coûte cher de se tromper, on n'en a plus le droit, il faut gagner ».

L'argent, dans ce thème, en vient à symboliser la virilité, le fait d'être un gagneur. Accepter la règle de la rentabilité, ce n'est plus honteux, ni vulgaire. C'est une affaire de vie ou de mort. Et vous choisissez la vie.

---

je me rince l'œil en
/regardant les autres
je regarde et je juge moins
je cherche
je recherche
quelque chose
je regarde pour apprendre
et créer
et copier
je commence à accepter la
/culture des autres
les besoins des autres
je reconnais mes œillères
je subis une mutation
/physique
mes yeux se retournent
/dans le globe
j'accepte d'apprendre
de recommencer
de remettre en question
de retomber en enfance
j'admets la supériorité des
/autres
leurs différences
je ne regarde plus par
/dessus
en dessous
j'écoute, simplement
(avant, on n'écoutait pas)
j'y vois plus clair
je ne reconnais plus mes
/paysages

dans tous les pays du
/monde, j'espionne
je fouille
je cherche l'arbre qui cache
/la forêt
j'y prends goût
j'aime les paysages tropicaux
je les accepte
je sors mes yeux de ma
/poche
finalement, la France c'était
/pas aussi bien
la France est bien, mais y'a
/pas que ça
pas forcément les meilleurs
je recherche la nouveauté
je me mets au parfum
je me retrouve sans me
/renier
plus le droit de me tromper
ça coûte cher de se tromper
vie ou mort
marche ou crève
cette année, je voyage
accepter la règle de la
/rentabilité
l'argent, j'y fais attention
l'argent gagné
gagner de l'argent
ce n'est plus honteux
ce n'est plus vulgaire
il faut gagner

... *d'un œil combattant*

je regarde à deux fois
dans tous les pays du monde
/j'espionne
plus le droit de me tromper
ça coûte cher de se tromper
vie ou mort
marche ou crève
cette année, je voyage
accepter la règle de la rentabilité
l'argent, j'y fais attention
l'argent gagné
gagner de l'argent
ce n'est plus honteux
vulgaire
il faut gagner

... *d'un œil nouveau*

je deviens observateur
je sais regarder
je regarde avec un œil de découvreur
et non de critique
je regarde et je juge moins
je cherche
je recherche
quelque chose
je regarde pour apprendre
et créer
et copier
je subis une mutation physique
mes yeux se retournent dans le globe
j'accepte d'apprendre
de recommencer
de remettre en question
de retomber en enfance
j'y vois plus clair
je ne reconnais plus mes paysages
je fouille
je cherche l'arbre qui cache la forêt
j'y prends goût
j'aime les paysages tropicaux
je les accepte
je sors les yeux de ma poche
je recherche la nouveauté
je me mets au parfum

... *d'un œil analytique*

comparer et conclure
j'analyse
je démonte
je décompose

... *les autres*

les autres
comment y vivent
comment y sont
je recherche leurs qualités
pourquoi ils réussissent
séduire plutôt que conquérir
j'accepte la différence
je me rince l'œil en regardant les
/autres
je commence à accepter la culture
/des autres
les besoins des autres
j'admets la supériorité des autres
j'admets leurs différences
je ne regarde plus par dessus
je ne regarde plus en dessous
j'écoute, simplement
(avant, on n'écoutait pas)
finalement, la France c'était pas aussi
/bien
la France est bien, mais y a pas que
/ça
pas forcément les meilleurs

Je
regarde

... *moi-même*

mes qualités
mes défauts
je reconnais mes œillères
je me retrouve sans me renier

36 – L'action du regard

Une étape de plus est franchie dans la reconquête par vous de votre regard. Ici le regard devient sujet, il est personnalisé, c'est lui qui agit. Il est l'organe essentiel, comme votre « double », la forme dynamique du moi. Avec lui, vous vous identifiez.

L'action du regard se déploie *devant soi (l'avenir)*. Le regard va « de l'avant, comme un éclairage il pénètre, demande à ouvrir ». Vous avez conscience d'être dans un tunnel, mais le regard en indique le bout. Grâce à lui, vous allez pouvoir laisser derrière vous le passé — votre expérience, vos idées reçues — et déboucher dans l'avenir les yeux ouverts, non plus à reculons. L'avenir n'est plus ce qu'il était, dites-vous avec un humour déflagrant, joyeux. C'est une véritable mutation, celle qui consiste à braver les incertitudes avec confiance. Rien n'est gagné ou perdu.

Mais le regard déploie aussi son action *autour de soi (le reste du monde)*. Comme un phare il balaie le champ du monde, il est « baladeur », il élargit les frontières, fait tomber les murs, et dès lors, vous vous apercevez que le monde n'est pas la France, il n'est pas ce que vous croyez. Les préjugés s'abattent, le cocon des idées préconçues se dissout. Derrière l'arbre la forêt se découvre.

Ainsi, le regard ouvre à la fois le temps et l'espace. Ce sont ces deux dimensions ensemble qui se rejoignent dans : « il ose, il inquisite », et dans cette invitation au

---

— *Pour gagner, le regard, il fait quoi ?*

il va de l'avant
comme un éclairage
regard pénétrant
phare
demande à ouvrir
regard baladeur
il ose
il indique le bout du tunnel
il inquisite

il élargit les frontières
il nous transforme
il s'illumine
il fait tomber les murs
tu verras de belles choses
tu te feras plaisir
oublie ton expérience
oublie tes idées reçues
le monde n'est pas que la
/France
il n'est pas ce que tu crois
derrière l'arbre, la forêt

194

mouvement : « prends ton bâton de pélerin et va! La vie est un combat ». Allons, l'Histoire n'est pas terminée, il y a temps et place encore pour l'aventure, la gloire...

C'est que le regard est *régénérateur :* il nous transforme, il est riche de promesses : « tu verras de belles choses, tu te feras plaisir ».

rien n'est gagné ou perdu
l'expérience est une
/lanterne accrochée dans le
/dos et qui éclaire le chemin
/parcouru
prends le bâton du pèlerin
ne plus entrer dans l'avenir
/à reculons
« l'avenir n'est plus ce qu'il
/était » : Valéry
prends ton bâton de pèlerin
/et va!

la vie est un combat
encore de l'aventure et de
/la gloire
on les aura!
d'Artagnan
porte les couleurs de la
/France
haut les cœurs!

L'action
du regard

... régénérateur

il nous transforme
il s'illumine
tu verras de belles choses
tu te feras plaisir

... devant soi
(l'avenir)

va de l'avant
comme un éclairage
regard pénétrant
demande à ouvrir
il indique le bout du tunnel
oublie ton expérience
oublie tes idées reçues
rien n'est gagné ou perdu
l'expérience est une lanterne
/accrochée dans le dos et qui éclaire
/le chemin parcouru
ne plus entrer dans l'avenir à reculons
"l'avenir n'est plus ce qu'il était"
/(Valéry)

... autour de soi
(le reste
du monde)

phare
regard baladeur
il élargit les frontières
il fait tomber les murs
le monde n'est pas que la France
il n'est pas ce que tu crois
derrière l'arbre la forêt

... devant
et autour

il ose
il inquisite
prends ton bâton de pélerin et va!
la vie est un combat
encore de l'aventure et de la gloire
on les aura
d'Artagnan
porte les couleurs de la France!
haut les cœurs!

37 – Je sors
de mon terrier

Les deux prédictions par lesquelles s'est close la séquence précédente : « tu verras de belles choses! Tu te feras plaisir »! servent de déclencheur à l'émergence d'un nouveau paysage, celui de la sortie du terrier. Le chemin, ici, est celui du *plaisir :* le voyage vous donne à aborder d'autres femmes, d'autres bouffes, d'autres parfums, et même, ce qui vous rebutait et vous faisait peur, faire campagne à l'étranger maintenant vous démange. A vrai dire, le chemin bifurque, se sépare en deux directions opposées : l'une c'est *l'évasion* et là nous sommes renvoyés au thème du voyage-loisir, du voyage-consommation qui avait dominé la séquence 32 : « l'exotisme à ma porte... ». C'est donc une fuite. Mais au stade où vous en êtes, ce thème ne saurait être dominant. L'autre direction est celle de *l'ouverture au monde* qui constitue, et de loin, l'élément de relief principal du paysage, continuant et amplifiant encore l'élan des séquences 33 à 35 ; vous êtes citoyen du monde, vous abattez la cloison étanche qui vous séparait des autres; vous êtes, dites-vous, moins français; vous vous mettez dans la peau des autres; vous êtes comme un étranger en France. Paroles neuves que voici. Vous avez pris conscience du globe. La France ne vous suffit plus, ailleurs vous existez... Et il y a cette très belle déclaration pro-

---

— *Moi, qu'est-ce que je fais?*

je voyage
d'autres femmes
  bouffes
  parfums
  plaisirs
je m'amuse à travailler, à
     /gagner
j'aime le canard laqué
je m'ennuie en France
j'augmente ma France
je suis comme un étranger
    /en France

je recherche des contacts,
     /des amis
des variétés
je veux connaître
une collection de coquillages
un client devenu d'ailleurs
     /un ami
je m'évade
je fuis
je rêve sur un catalogue de
     /voyages
les palmiers, ah les belles
     /plages
je suis moins casanier
moins français

grammatique : « j'augmente ma France ». Cette ouverture est tout le contraire d'une évasion, c'est une recherche de soi par le contact des autres, c'est vous rendre réceptif, poreux, prêt à vous incorporer « le printemps qui existe toujours quelque part ». Contrairement à ce que dit le proverbe, pierre qui roule amasse mousse.

S'ouvrir au monde, enfin, c'est « sortir du petit et rentrer dans le grand ». En prononçant ces paroles, vous provoquez l'irruption d'un thème inattendu, celui du *grand* qui, réponse du berger à la bergère, se constitue en poème. Comme si vous ressentiez le besoin à présent d'apporter la réplique au poème du « petit » qui était venu clore la séquence 34. « J'aspire aux grands espaces, je lance de grands bonjours, je marche d'un grand pied, je vis la grande aventure, je deviens grand... ».

---

les bambous et la bamboula
je ridiculise moins l'étranger
je prends plus l'avion
l'exotisme à ma porte
je me mets dans la peau des
        /autres
j'ai pris conscience du globe
je me refais mes colonies
je repars à l'aventure
je sors de mon terrier
le vent du large
je redécouvre l'Amérique
Cap Horn
le printemps existe toujours
        /quelque part
ailleurs, il fait plus beau
ailleurs, j'existe
une fuite
une ouverture
la France ne me suffit plus
une recherche de soi

c'est les autres également
un regard
je sors du petit et je rentre
        /dans le grand
je vois en grand
grande distance
grand espace
grandes migrations
grandes vacances
grands voyages
grand pays
je deviens grand
les grands abandons
les grands bonjours
la grandeur
la grande aventure
le grand pied
le grand large
la grand'voile
pierre qui roule amasse
        /mousse

... l'ouverture
du monde

je m'ennuie en France
j'augmente ma France
je suis comme un étranger en France
je recherche des contacts, des amis
des variétés
je veux connaître
un client devenu, d'ailleurs, un ami...
je suis moins casanier
       moins français
je ridiculise moins l'étranger
je prends plus l'avion
je me mets dans la peau des autres
j'ai pris conscience du globe
je repars à l'aventure
je sors de mon terrier
le vent du large
je redécouvre l'Amérique
Cap Horn
le printemps existe toujours quelque part
ailleurs, il fait plus beau
ailleurs, j'existe
une ouverture
la France ne me suffit plus
une recherche de soi
c'est les autres également
je sors du petit et je rentre dans le grand
pierre qui roule amasse mousse

... l'évasion

je m'ennuie en France
je m'évade
je fuis
je rêve sur un catalogue de voyages
les palmiers, ah les belles plages
les bambous et la bamboula
l'exotisme à ma porte
je me refais mes colonies
une fuite

Je sors
de mon terrier

... le plaisir

je voyage
d'autres femmes
      bouffes
      parfums
      plaisirs
je m'amuse à travailler
      à gagner
j'aime le canard laqué
une collection de coquillages

... je rentre
dans le grand

je vois en grand
grande distance
grand espace
grandes migrations
grandes vacances
grands voyages
grand pays
je deviens grand
les grands abandons
les grands bonjours
la grandeur
la grande aventure
le grand pied
le grand large
la grand'voile

38 – Va respirer!

Tout se passe comme si vous aviez obscurément soupçon d'une supercherie. Comme si, au cours des cinq séquences écoulées, vous vous étiez contenté de « vous dire » sorti de votre terrier, de discourir sur votre ouverture au monde, de vous imaginer dehors... Et comme si une voix venait vous interpeller, pressante, haletante, vous exhortant à sortir pour de bon. « Va voir ailleurs comment ça se passe! Vas-y! Lance-toi »! Un thème, un seul, constitue le relief de cette séquence, il était donc superflu d'en dresser la carte. A peu d'exceptions près, toutes vos paroles à présent ne font que moduler une seule et même sommation : sors de la France! Eclate-toi! Ouvre-toi! Change-toi d'espace, de vie! Vis autre chose! Va chercher ailleurs ce que tu n'a pas! Et cela jusqu'à l'impérieux : « fous le camp, sale con! » Votre réaction piteuse d'accusé est que oui ça vous démange, oui vous avez des fourmis dans les pieds, mais comment faire? Chausser les bottes de sept lieues? Prendre le tapis volant? Recourir à la magie, faute de disposer de moyens réels pour passer à l'acte? A cela, pas de réponse, sinon une pirouette verbale : « je prends mon pied ».

Il est donc vrai que les choses ne sont pas si simples, et qu'entre la parole et l'acte le passage ne va pas de soi. Vous en prenez conscience ici. La voix que nous entendons est celle de la conscience naissante, voix heurtée, agitée, inquiète.

A noter qu'après l'œil, après l'oreille, c'est le nez qui

— Qu'est-ce que je lui dis, à ce Français qui devient grand?

va voir ailleurs comment ça
/se passe
vas-y!
lance-toi!
les choses ne sont pas si
/simples
on emporte son arme avec
/soi
sors de la France

rends-toi compte par
/toi-même
regarde autour de toi
arrête de te plaindre
mes armes et mes lois
va respirer
éclate-toi
ouvre-toi
cherche l'inspiration ailleurs
sois ton propre éducateur
loin des yeux, loin du cœur
si t'y vas pas, on n'ira pas te
/chercher

dans cette séquence fait un retour en force. Le nez qui, dans la séquence 8, servait à tout sauf à respirer... « Va respirer », dit la voix, « cherche l'inspiration ailleurs, ouvre ta fenêtre et respire, ça sent le renfermé ici »! Ici, c'est le terrier où vous êtes resté tapi, projetant votre sortie dans les grands espaces, la rêvant les pantoufles aux pieds.

LANCE-TOI !

change-toi d'espace, de vie
enivre-toi
le rêve est à côté
décarcasse-toi
vis autre chose
va chercher ailleurs ce que
                    /tu n'as pas
profites-en
bois ce que tu n'as jamais bu
ouvre ta fenêtre et respire
ça sent le renfermé ici
fous le camp, sale con!
ça me démange

j'ai des fourmis dans les
                    /pieds
les bottes de 7 lieues
ça vaut le coup
j'ai des visions
je prends le tapis volant
je prends mon pied!

39 – Ah, si je pouvais...

Après la prise de conscience, le drame éclate. Cette séquence revêt un caractère proprement dramatique, en ce sens que les thèmes qui surgissent, comme des vagues déferlant les unes contre les autres, expriment un état de quasi-rupture. Votre surface lisse, telle qu'elle essayait de se constituer au départ (supérieur, casanier, possesseur, jouisseur, cérébral, et guerrier) ici se déchire, après votre passage par l'étranger, après l'enchantement d'une vision de vous-même ouverte, libérée de ses pesanteurs. Tout, à présent, vous semble *embrouillé*. Votre vie est plus confuse, votre vue est plus confuse. De l'image de vous-même *ouvert au monde*, il ne subsiste qu'une faible trace — lorsque vous dites : il n'y a pas que la France, on aime le changement. Mais vous ne réussissez pas pour autant, malgré quelques essais, à retrouver le ton du Français *fanfaron*. Se sont englouties ces deux illusions : que vous êtes un être supérieur se suffisant à lui-même, et que vous avez recouvré la capacité de sortir du terrier pour vous mesurer au monde. Alors, dans la tempête où vous vous trouvez, quels courants l'emportent?

La posture *cynique* en est un : vous vous trouvez de bonnes raisons, « les raisons de la colère », et puis tout finira par s'arranger... plus tard! « Demain je pars... ou plus tard »! Et ces conseils donnés au voisin : « si j'étais toi je

---

— Je prends mon pied...
Qu'est-ce que j'en fais?

je me trouve de bonnes
/raisons
les raisons de la colère...
j'ai des envies de revenez-y
vas-y voir si je m'y trouve
lâche-moi les baskets
mon œil!
ma vie est plus confuse
ma vue est plus confuse
je suis sceptique
tu vas voir ce que tu vas voir

on ne me la fait plus
y a pas que la France
j'en ai vu d'autres
j'ai voyagé
un jour Valéry, un jour
/François
on n'est pas si mal que ça
/chez nous
ailleurs, c'est pire
on aime le changement
la sécurité
on n'y peut rien
je cours après quoi?
j'ai ma famille

204

partirais... à ta place... » Conseils donnés par celui qui ne bouge pas. Le cynisme est la façon chic de vous avouer votre mauvaise foi, la façon gaie de signifier un manque de foi en soi, une désespérance.

Ou bien vous êtes *revenu de tout*, vous êtes sceptique et résigné, blasé et désabusé : « un jour Valéry, un jour François... j'en ai vu d'autres, on n'y peut rien »! Vous avez voyagé et puis après? A quoi bon? Courir après quoi? Plutôt rester couché, non?

Vous êtes aussi traversé par le courant *nostalgique*, mais la nostalgie ici est imprégnée de sarcasme à l'égard de vous-même, tant il est vrai que l'objet de votre nostalgie est vague, vague au point de ne pouvoir être nommé : « Ah, si je pouvais... ah, si j'avais le temps! Ah, si j'avais su! Ah, si c'était à refaire! Ah, s'il n'y avait pas... » Votre voix ici se fait particulièrement poignante puisque les occasions perdues, elles-mêmes, « c'est du bidon », semble-t-on entendre dans cette mélopée.

Mais deux courants dominent l'ensemble de cette séquence : *replié sur moi-même*, et *désir de disparaître*. Ils semblent parfaitement opposés, se jetant l'un contre l'autre... C'est précisément le choc entre ces deux courants, c'est le tourbillon résultant de leur rencontre, qui est au cœur du drame, et qui fait sens.

Replié sur vous-même, dans votre coin, entouré de vos biens, et avec vos tracas : on retrouve là de vieilles connaissances, comme le relent de refrains ressassés. « On n'est pas si mal que ça chez nous, ailleurs c'est pire, on est si bien chez soi » : ces propos en reviennent à effacer l'événement qui s'est déroulé entre les séquences 32 et 38, à faire comme si rien ne s'était passé, à régresser purement et simplement dans les valeurs casanières qu'on

---

mes racines	ah, si j'avais le temps!
j'ai les enfants	ah, si j'avais su!
la belle-mère	ah, si c'était à refaire!
les maîtresses	partir c'est mourir un peu
mon banquier sur le dos	un tiens vaut mieux...
l'échéance au 10	si j'étais toi, je partirais
je bouffe des nouilles	à ta place...
je largue les amarres	demain, je pars
larguer l'échelle	je file à l'étranger
couper les ponts	ou plus tard
ah, si je pouvais...	moi, je partirai mardi...
tout finira par s'arranger	un jour, je ferai le tour du
plus tard	/monde
repartir à zéro	ah, s'il n'y avait pas...

croyait abandonnées. De même, « j'ai ma famille, mes racines, j'ai les enfants, la belle-mère, les maîtresses », cet étalage de vos avoirs ramène au thème « possesseur » qu'on aurait pu croire, sinon liquidé, du moins mis à distance. S'y ajoute simplement une touche supplémentaire, celle des tracas quotidiens : votre banquier sur le dos, l'échéance au 10, vous bouffez des nouilles... En admettant que chez soi tout n'est pas rose, de toutes façons « ailleurs, c'est comme ici, c'est partout pareil », alors à quoi bon voyager ? Pas question, vous avez la flemme et ça vous coûte.

L'autre courant dominant donne, un court instant, l'impression de s'inscrire dans la foulée des thèmes d'ouverture, de déverrouillage : vous larguez les amarres... Mais très vite il s'avère que c'est d'un autre type de sortie dont il s'agit. Vous larguez « tout », ce que vous voulez, c'est couper les ponts, tous les ponts. Rupture. Le concentré de violence qui est contenu dans ce passage :

          j'en ai marre, je me casse
          je me tire
          je change de vie
          je pars avec la caisse
          je fais un casse
          j'encaisse
          je remballe
          je dévalise
          et je reviens à fond la caisse
          la queue basse

n'a d'égal que la densité de l'objet poétique qui se constitue spontanément, toute bienséance oubliée, toute rationalité abolie. Votre parole a atteint ici un point d'incandescence où émotion et humour se confondent, où comique et tragique ne font qu'un. Les trois dernières interpellations :

---

je largue tout   reste, je m'en vais
j'en ai marre, je me casse   retiens-moi ou je pars
je me tire   y a plus où aller
je change de vie   c'est partout pareil
je pars avec la caisse   ailleurs, c'est comme ici
je fais un casse   on est si bien chez soi
j'encaisse   j'ai la flemme
je remballe   ça me coûte
je dévalise
et je reviens à fond la
          /caisse !
la queue basse
va-t-en, j'en ai marre !

va-t-en, j'en ai marre
reste, je m'en vais
retiens-moi ou je pars

forment un poème distinct, une autre chanson, où s'exprime votre impossibilité de demeurer là et que ça continue.

En même temps que vous ne pouvez pas vous empêcher de vous replier sur vous-même, de vous refermer dans votre coin en étreignant vos biens, en même temps vous voyez ce que ce repli a de suicidaire. Vous le voyez et vous le savez, maintenant. Vous en avez pris conscience. Le cynisme n'a plus de prise. La contradiction est inextricable, et provoque votre *désir de disparaître*. Disparaître pour faire disparaître la contradiction. Le sens du drame qui se joue dans cette séquence est dans la jonction à la fois impossible et inévitable de ces deux désirs : vous replier sur vous-même tel que vous êtes, et en finir avec vous-même tel que vous êtes. Là est le nœud. Quel peut être le dénouement?

... ouvert
au monde

y a pas que la France
on aime le changement

... cynique

je me trouve de bonnes raisons
les raisons de la colère
vas-y voir si je m'y trouve
mon œil!
tout finira par s'arranger...
plus tard!
si j'étais toi, je partirais
à ta place...
demain je pars
je file à l'étranger
ou plus tard
moi, je partirai mardi...
un jour je ferai le tour du monde

... replié sur
moi-même
(mon coin - mes biens -
mes tracas)

on n'est pas si mal que ça chez nous
ailleurs, c'est pire
la sécurité
j'ai ma famille
mes racines
j'ai les enfants
la belle-mère
les maîtresses
mon banquier sur le dos
l'échéance au 10
je bouffe des nouilles
partir, c'est mourir un peu
un tiens vaut mieux...
y a plus où aller
c'est partout pareil
ailleurs, c'est comme ici
on est si bien chez soi
j'ai la flemme
ça me coûte

... embrouillé

ma vie est plus confuse
ma vue est plus confuse

208

... revenu de tout

je suis sceptique
j'en ai vu d'autres
j'ai voyagé
un jour Valéry, un jour François
on n'y peut rien
je cours après quoi?

... désir de disparaître

lâche-moi les baskets
je largue les amarres
larguer l'échelle
couper les ponts
ah, si je pouvais...
repartir à zéro
je largue tout
j'en ai marre, je me casse
je me tire
je change de vie
je pars avec la caisse
je fais un casse
j'encaisse
je remballe
je dévalise
et je reviens à fond la caisse
la queue basse
va-t-en, j'en ai marre!
reste, je m'en vais
retiens-moi ou je pars

Ah, si je pouvais...

... fanfaron

tu vas voir ce que tu vas voir
on ne me la fait plus

... nostalgique

j'ai des envies de revenez-y
ah, si je pouvais...
ah, si j'avais le temps
ah, si j'avais su!
ah, si c'était à refaire
ah, s'il n'y avait pas...

Accalmie? Toujours est-il que vous vous déportez à quelque distance des remous furieux qui vous ont mis à rude épreuve. Vous ressentez le besoin de faire le point, plus précisément de vous passer à l'inspection, de faire l'appel des forces et des faiblesses qui vous composent. Vous vous interrogez sur cette espèce, la vôtre, l'espèce française, dont vous venez de découvrir qu'elle est le siège de phénomènes convulsifs qui donnent l'alarme.

Vous vous campez face à votre miroir. Et que voyez-vous?

D'abord et avant tout, vous vous voyez *coupé en deux*. Ce que vous aviez déjà pressenti dans la séquence 30 à présent se confirme et s'amplifie : vous êtes une chose et son contraire. L'abondance autant que la diversité des oppositions que vous observez, et qui vous constituent, produisent en vous un double effet d'inquiétude et de rassurance. D'une part, ce n'est pas sans effroi que vous vous découvrez « écartelé, cyclothymique, schizophrène ». Vous sentez bien que l'homme qui « freine en accélérant » a un problème. Mais d'autre part, quelle richesse n'y a-t-il pas dans l'alliance des contraires! Loquace et secret, généreux et radin, audacieux et prudent, modeste et vantard, accueillant et fermé, naïf et calculateur : les polarités sont productrices. La tension est source de création. Toute la

---

— *Ce Français qui dit tout ça, il est comment?*

changeant
fantasque
versatile
féminin
toujours deux formes
secret et parole
trop d'actions pas
/ordonnées
le verbe
verbosité
chez lui le contraire est vrai

généreux et radin
prudent et audacieux
accueillant et timide
vantard et modeste
parfois audacieux car il ne
/sait pas
hospitalier et ferme
au fond de lui-même, encore
/pas sûr
grande gueule, bonne pâte
pantouflard
rationaliste
cyclothymique
naïf et calculateur

question est de savoir ce qui l'emporte, des tensions créatrices ou des contradictions paralysantes. On est entre les deux. Le diagnostic est posé. Il est, pour l'heure, incertain.

Coupé en deux... Telle est l'intensité avec laquelle cette évidence vous a saisi que vous accouchez d'un poème :

> prédateur et près du radiateur
> pris au piège et jaloux
> piège à con
> il pige vite
> mais il faut lui expliquer longtemps

Vous n'êtes, *au fond de vous-même, encore pas sûr*. Et cet élément de relief, qui jouxte celui de la coupure en deux, en évoque d'autres déjà rencontrés : pas à l'aise, méfiant, prudent, être sur ses gardes, vigilance et sécurité. C'est dans la mesure même où vous n'êtes pas sûr de vous que l'obsession de la sécurité devient galopante. Il est remarquable que, dans sa résurgence après la tempête, cette évidence elle aussi déclenche le surgissement d'un poème :

> impressionnable
> le petit journal
> le Monde sous le bras
> c'est écrit, c'est vrai
> c'était dans le journal
> donc c'est faux
> le piège de la méfiance
> le monde est semé d'embûches
> je suis menteur
> pas crédit aux autres
> pas de capital confiance
> pas de pitié

écartelé	se dresse sur ses ergots
freine en accélérant	aime qu'on le regarde
schizophrène	il aime la basse-cour
mesquin et naïf	vantard
prédateur et près du /radiateur	ses poules
	aime être aimé
pris au piège et jaloux	mais fait rien pour
piège à con	un dindon
il pige vite	tout m'est dû
mais faut lui expliquer /longtemps	tout médusé
	tu m'es doux
on m'aura pas	les petits noms doux
un vrai coq	mon lapin
il chante fort	ma petite cocotte

Voilà un auto-portrait qui a un singulier pouvoir d'évocation, et le thème de l'insécurité trouve, dans cette forme condensée, sa plénitude : la crédulité et la méfiance, formant couple, engendrent un sentiment de vulnérabilité, d'où découlent la crispation et la dureté : « pas de pitié ». A noter la présence insistante, d'un poème à l'autre, du mot « piège », qui renvoie au thème de la blessure apparu dans la séquence 13 : « on m'a eu, on m'aura plus; peur de l'autre; l'autre = l'ennemi; il y a toujours un dessous des cartes... » Vous êtes hanté par la crainte de vous laisser piéger.

Il y a des pièges, si on s'y laisse prendre , qui vous coupent en deux... Et une autre coupure apparaît dans ce paysage, c'est celle entre les deux thèmes : *féminin* d'une part, *coq et dindon* d'autre part. En tant que féminin, vous êtes versatile et vous babillez au lieu d'agir. En tant que coq, vous vous dressez sur vos ergots et vous chantez fort, exigeant qu'on vous regarde. De là, l'image dérive sur celle du dindon, pompeux et vantard.

« L'adhésif »... Pour être reconnu, coq ou dindon, vous avez besoin de signes extérieurs adhérant à votre vêtement, attestant votre importance, votre légitimité : écussons, médailles, décorations, diplômes. Par un glissement verbal significatif, une deuxième dérive de l'image vous fait basculer du « dindon diplômé » au « diplodocus ». Moyennant votre attachement au passé, votre conviction que vous êtes le seul à avoir une Histoire, vous vous drapez dans votre prestige, votre standing. Tout dans la cravate. Le fait d'être « le seul à avoir une Histoire » vous confère le droit de « faire des histoires », autrement dit vous emmerdez le monde au lieu de vous atteler à la tâche. Et à l'action vous préférez le jeu des relations : vous avez « le bras long pour aller voir au-dessus ».

---

un chaud lapin	m'as-tu vu
sentimental	il se shoote avec ses
sensualité polymorphe	/illusions
un pervers à double arbre à	vantard
/came	l'éloge du clan familial
halluciné	la pompe et le pompon
enfermé	les signes extérieurs de
anxieux	/richesse
aime sa femme mais	son attachement au passé
/cherche la maîtresse	l'adhésif
prestige	signes extérieurs
standing	le seul à avoir une Histoire
s'encanailler	faire des histoires

Au passage, coq ou dindon, vous attrapez votre plaisir et devenez, pour l'occasion, un chaud lapin. Mais, dans votre *cueillette du plaisir,* vous n'êtes pas au clair avec vous-même. Là aussi, il y a comme une coupure en deux : vous aimez être aimé mais ne faites rien pour; vous aimez votre femme mais cherchez la maîtresse; sentimental vous allez vous encanailler. Vous êtes «un pervers à double arbre à came ». Vous avez du mal à vous y retrouver. Vous êtes « médusé ».

Au cœur de ce thème éclot le troisième poème de la séquence :

> un dindon
> tout m'est dû
> tout médusé
> tu m'es doux
> les petits noms doux
> mon lapin
> ma petite cocotte
> un chaud lapin

où se condense l'état confus de votre relation au plaisir. Alors, halluciné, que faites-vous? Vous vous « shootez avec vos illusions ». L'arbre à came est-il ce qui permet d'aller à la cueillette des illusions?

écussons
médailles
diplômes
décorations
les diplodocus
le bras long
a des relations
le bras long pour aller voir
/au-dessus
méprise ceux qui parlent
/français sans être Français
les Canadiens, les Belges,
/les Suisses

tout dans la cravate
impressionnable
le petit journal
Le Monde sous le bras
c'est écrit, c'est vrai
c'était dans le journal
donc, c'est faux
le piège de sa méfiance
le monde est semé d'embûches
je suis menteur
pas crédit aux autres
pas de capital de confiance
pas de pitié

... pas sûr

au fond de lui-même, encore pas sûr
enfermé
anxieux
impressionnable
le petit journal
le Monde sous le bras
c'est écrit, c'est vrai
c'était dans le journal
donc c'est faux
le *piège* de sa méfiance
le monde est semé d'embûches
je suis menteur
pas crédit aux autres
pas de capital confiance
pas de pitié

... coupé en deux

toujours deux formes
secret et parole
chez lui le contraire est vrai
généreux et radin
prudent et audacieux
accueillant et timide
vantard et modeste
parfois audacieux car il ne sait pas
hospitalier et fermé
grande gueule, bonne pâte
cyclothymique
naïf et calculateur
écartelé
freine en accélérant
schizophrène
mesquin et naïf
prédateur et près du radiateur
pris au *piège* et jaloux
piège à con
il pige vite
mais il faut lui expliquer longtemps
aime être aimé
mais fait rien pour
aime sa femme mais cherche la
/maîtresse

... à la cueillette du plaisir

aime être aimé
mais fait rien pour
un dindon
tout m'est dû
tout médusé
tu m'es doux
les petits noms doux
mon lapin
ma petite cocotte
un chaud lapin
sentimental
sensualité polymorphe
un pervers à double arbre à came
halluciné
aime sa femme mais cherche la
/maîtresse
s'encanailler
il se shoote avec ses illusions

214

Le Français, il est comment? (II)

... coq et dindon

pantouflard
rationaliste
on m'aura pas
un vrai coq
il chante fort
se dresse sur ses ergots
aime qu'on le regarde
il aime la basse-cour
vantard
ses poules
un dindon
tout m'est dû
prestige
standing
m'as-tu-vu
vantard
l'éloge du clan familial
la pompe et le pompon
les signes extérieurs de richesse
son attachement au passé
l'adhésif
signes extérieurs
le seul à avoir une Histoire
faire des histoires
écussons
médailles
diplômes
décorations
les diplodocus
le bras long
a des relations
le bras long pour aller voir au-dessus
méprise ceux qui parlent français
                              /sans être Français
les Canadiens, les Belges, les
                              /Suisses

tout dans la cravate

... féminin

changeant
fantasque
versatile
féminin
trop d'actions pas ordonnées
le verbe
la verbosité

41 – *Je me rétracte...*

Ici, le retour du balancier s'achève. Après le grand déverrouillage, vous vous rétractez — dans les deux sens du mot.

Rétracter v.t. (lat. *retractare,* retirer) — Désavouer ce qu'on dit, fait — Se rétracter, v.pr. Revenir sur ce qu'on a dit, se dédire.

Rétracter v.t. (lat.*retrahere*). Faire se rétrécir, contracter. Se rétracter, v.pr. Se contracter, subir une rétraction.

(Petit Larousse).

Cinq éléments de relief constituent ce paysage :

Chacun pour soi — L'appartenance même à un peuple est remise en question, pour autant que rien ne relie les uns aux autres les Français : « je ne suis pas solidaire » et, disant cela, vous vous retranchez dans votre quant-à-soi, ce qui se comprend puisque, ajoutez-vous, « chaque homme est un loup pour l'homme ». Vous allez jusqu'à vous poser la question : y a-t-il un Français ici? Tout ceci renvoie à un fonds de scepticisme, à un scepticisme sans fond, qui vous fait penser à une septicémie générale. Maladie causée par la pullulation, dans le sang, de bactéries pathogènes, pour citer à nouveau le Petit Larousse.

Une vieille histoire — La maladie se relie à l'usure de l'Histoire de votre pays. La France, fille des échecs

---

— Pas de pitié, continuons... Moi, Français, je suis comment?

je ne suis pas solidaire
je suis mal connu
je suis incompris
tous les Français sont
/différents
y a-t-il un Français ici?
les clés du pouvoir sont chez
/les concierges
nous sommes des
/concierges
nous sommes tous des flics
se tenir à carreau
attention à ne pas se brûler
avoir son quant-à-soi
non, non, les flics sont
/partout
les autres te veulent
fais gaffe
n'y va pas
reste chez toi
les oreilles ennemies nous
/écoutent
chaque homme est un loup
/pour l'homme
le fonds de scepticisme

passés, lourde d'un destin qui pèse, vit mal la mutation industrielle qui casse la famille, casse le terroir. Vous vous sentez englué dans une vieille histoire de famille qui ne débouche nulle part : on ne sait pas où va demain... On a envie d'appeler maman... mais quelle maman? Et quel sera l'avenir des enfants? Vous exprimez ici un état de grave essoufflement.

Erreur de branchement — Tout allait bien, du temps où, pour mériter de la France, il fallait être colon ou soldat. Mais aujourd'hui où il faut être vendeur c'est une autre affaire. Vous n'êtes pas commerçant. Vous n'avez pas effectué les branchements nouveaux qu'appelle le monde d'aujourd'hui, ce qui fait que, dans le domaine des grands échanges internationaux, vous faites piètre figure. Vous constatez que vous êtes mal connu, incompris, vu tantôt comme un aventurier mal tourné, tantôt comme un adolescent attardé.

Flic ou concierge — Dans ce monde doublement hostile, où vous êtes agressé de l'extérieur (« les Huns les autres ») et où vous vous agressez entre vous à l'intérieur de l'hexagone (vous vivez une époque, dites-vous, où la haine est fondamentale), l'occupation prioritaire consiste à se faire, chacun pour soi, le gardien de ce qu'on tient à conserver. Les deux figures tutélaires du gardien, au plan de la vie quotidienne — entendons la gardienne de l'immeuble et le gardien de la paix — se dressent au cœur de ce thème qui prolonge,·avec une intensité plus sauvage encore, la résonance de thèmes précédemment rencontrés : méfiance, vigilance... Il faut se tenir à carreau car on veut tout nous prendre. Attention à ne pas se brûler. Les oreilles ennemies nous écoutent.

---

septicémie générale	rester chez nous
histoire vieille	y a tout
une défense	le passé
maman	l'histoire
la fille des échecs passés	la douceur angevine
un destin qui pèse	la richesse agricole
le bien-être chez soi	le soleil fait pousser les
dans mon terrier	/fleurs
souvenir d'invasions	le fonds paysan
les Huns, les autres...	pourquoi partir?
une époque où la peur est	colon ou soldat
/fondamentale	pas commerçant
on s'est fait prendre	la mutation industrielle
chat échaudé...	méfiance
pas besoin de bouger	tout nous prendre

Peinard — Par contraste avec la tonalité sombre de ces quatre éléments de relief qui forment un ensemble implacablement homogène, ici le paysage redevient riant, accueillant. C'est qu'ici il s'agit de l'invitation, que vous vous faites à vous-même, de rester chez vous. Paysage non seulement accueillant, mais on ne peut plus foisonnant : comme un déversement d'appâts, d'encouragements à ce que vous retourniez dans vos pénates et y restiez peinard. Il y a, ici, comme une ode à la bonne vieille France, à la bonne petite vie qui s'offre à vous dans votre pays, et la qualité poétique du flot de vos paroles est indicative de l'intensité avec laquelle cet appel est lancé et écouté. Pourquoi partir loin, loin du cœur? Pourquoi s'amputer? Pourquoi quitter richesse et beauté? La vraie richesse n'est-elle pas dans une bonne retraite, un petit cimetière, une petite baraque confortable et rassurante, le passé, la douceur angevine? C'est le pays de La Fontaine, tout La Fontaine, suivons le guide... C'est le pays des moralités et des proverbes de bon sens : chat échaudé... qui va à la chasse... un tiens tu l'as... pas lâcher la proie... C'est que, si souvent déjà, on s'est fait prendre! Allons, n'y va pas! Pas besoin de bouger. Autant rester chez nous, où il y a tout. Se consacrer au bien-être chez soi. Dans son terrier.

Ainsi, vous oscillez, de façon agitée, désordonnée, entre le froid et le chaud, le vide et le plein. A considérer dans son ensemble ce paysage, le trait fondamental qui s'en dégage est l'absence d'une assise, d'une stabilité. Vous accélérez en même temps que vous freinez. Vous vous ouvrez et dans le même mouvement vous vous fermez. Vous vous dilatez et vous vous rétractez. Pas plutôt

---

casse la famille
casse le terroir
le retour à la terre
peinard
dans mon pays
une bonne retraite
un petit cimetière
une petite baraque
des brebis
un viager
pêche à la ligne
le petit vieux
une bonne petite vie
géraniums
et le printemps

le soleil sur la côte
que demande le peuple?
vieille histoire de famille
un aventurier mal tourné
on ne sait pas demain
adolescent attardé
l'avenir des enfants
qui va à la chasse perd sa
                    /place
pourquoi s'amputer
loin, loin du cœur
pourquoi quitter richesse et
                    /beauté
être fonctionnaire
un tiens vaut deux tu l'auras

ne vous êtes-vous élancé que vous vous pelotonnez. Il s'agit d'une instabilité, non pas caractérielle, mais existentielle, résultant de l'état de confusion dans lequel vous vous trouvez actuellement : vous ne parvenez pas à trouver votre identité, à appréhender celle-ci comme un ensemble pourvu de cohérence. Tout donne à penser que cet état instable n'a rien à voir avec la « nature » du Français si telle chose existe, mais plutôt que cet état résulte d'une histoire, la vôtre, dans laquelle vous ne vous sentez pas à l'aise — cette Histoire faite du cumul des « échecs passés », lourde d'un « destin qui pèse », votre histoire des cinquante ou des cent dernières années, que vous ne voulez pas, ne pouvez pas vous approprier.

petit confortable rassurant
peinard
pas quitter la proie...
tout La Fontaine

... erreur
de branchement

je suis mal connu
je suis incompris
colon ou soldat
pas commerçant
un aventurier mal tourné
adolescent attardé

... une vieille
histoire

histoire vieille
une défense
maman
la fille des échecs passés
un destin qui pèse
la mutation industrielle
casse la famille
casse le terroir
vieille histoire de famille
on ne sait pas demain
l'avenir des enfants

Je me
rétracte...

... flic
ou concierge

les clés du pouvoir sont chez les
/concierges
nous sommes des concierges
nous sommes tous des flics
se tenir à carreau
attention à pas se brûler
non, non, les flics sont partout
les oreilles ennemies nous écoutent
chaque homme est un loup pour
/l'homme
souvenir d'invasions
les Huns, les autres...
une époque où la haine est
/fondamentale
méfiance
tout nous prendre

220

... peinard

les autres te veulent
fais gaffe
n'y va pas
reste chez toi
le bien-être chez soi
dans mon terrier
on s'est fait prendre
chat échaudé...
pas besoin de bouger
rester chez nous
y a tout
le passé
l'histoire
la douceur angevine
la richesse agricole
le soleil fait pousser les fleurs
le fonds paysan
pourquoi partir?
le retour à la terre
peinard
dans mon pays
une bonne retraite
un petit cimetière
une petite baraque
des brebis
un viager
pêche à la ligne
le petit vieux
une bonne petite vie
géraniums
et le printemps
le soleil sur la côte
que demande le peuple?
qui va à la chasse perd sa place
pourquoi s'amputer?
loin, loin du cœur
pourquoi quitter richesse et beauté?
être fonctionnaire
un tiens vaut deux tu l'auras
petit confortable rassurant
peinard
pas quitter la proie...
tout la Fontaine

... chacun
pour soi

je ne suis pas solidaire
tous les Français sont différents
y a-t-il un Français ici?
avoir son quant-à-soi
chaque homme est un loup pour
/l'homme
le fonds de scepticisme
septicémie générale

Sixième partie
LA FEMME ET LES FRANÇAIS

NON NON, J'AI DÉCIDÉ DE NE PLUS T'ATTENDRE !

42 – *La Française évolue*

Poursuivant plus avant votre plongée dans le miroir, vous découvrez soudain que vous n'avez regardé que la moitié de vous-même. C'est-à-dire les Français de sexe masculin. Quelque peu éberlué que la question se pose, vous entreprenez néanmoins de considérer « l'autre moitié ».

Ce qui frappe d'emblée, c'est qu'il s'agit d'une nouvelle expédition à l'étranger. Après avoir exploré votre relation avec les étrangers d'au-delà des frontières, vous abordez votre relation avec « l'étranger de l'intérieur » — la femme telle qu'actuellement elle évolue. Cette relation s'avère n'être pas moins difficile à vivre, pas moins problématique que celle avec... les Allemands, les Anglais, les Américains, « les autres ».

Il y a un arrière-goût nostalgique à cette séquence. Dans le temps, les choses allaient de soi, aujourd'hui plus rien ne va de soi avec la femme. Eh oui, la Française connaît bel et bien *une mutation*, et en s'émancipant, elle cesse d'être consubstantielle au Français. Les femmes au pouvoir, notamment grâce à la pilule, c'est pour l'homme une pilule dure à avaler. La femme se sépare de l'homme en devenant comme l'homme. « La nouvelle femme, c'est le nouvel homme », vous exclamez-vous, et ce propos, dans son énormité,

---

— *La proie, La Fontaine... Et la Française... Elle aussi, elle change?*
Commençons par faire une liste de ce qui nous vient à l'esprit...

émancipation
les femmes au pouvoir
la pilule
dure à avaler!
les femmes flics
les frustrées

gym tonic
conductrices de bus
d'engins
femme chauffeuse
la nouvelle femme
c'est le nouvel homme
c'était la prolétaire de
/l'homme
pro-laiteuse
maintenant femme forte
concierge
la femme est professionnelle
elle n'est plus petite
/parisienne

fusant comme un boulet de canon, exprime l'énormité du changement, et le fait qu'il est ressenti contre nature. Vous pensiez accepter, mais en fait vous n'acceptez pas du tout cette nouvelle figure de la femme, forte maintenant, professionnelle, compétente, qui ne fait plus d'enfants, qui fait pipi debout, qui « en a où je pense ».

Il ne s'agit pas moins que *d'une usurpation* des fonctions et des rôles qui étaient tout naturellement dévolus aux hommes : les femmes flics (et non plus seulement concierges pour s'en tenir aux tâches de « gardien »), les femmes conductrices de bus et même d'engins, les femmes chauffeuses, les femmes dans la hiérarchie militaire, et quoi encore? Il n'y a pas de limites : la femme française drague, invite à déjeuner, paye au restaurant, fait le premier pas, fait des affaires, devient pédégère.

Elle pense (le comble!)

Vous avez le sentiment de subir *une invasion* face à laquelle vous êtes désarmé. L'adversaire est de taille, vous êtes obligé de l'admirer, mais vous ne parvenez pas à l'arrêter. Vous l'admettez contraint et forcé, vous la laissez envahir les bureaux et dans certains cas elle y devient votre directeur. C'est qu'elle a les dents longues ainsi que l'internationale féminine pour la soutenir. Auparavant elle était soumise et contente de son sort. Aujourd'hui, elle constitue le bataillon des frustrées qui viennent tout perturber. Résultat : l'homme fait la vaisselle.

Mais voici qu'un tournant s'ébauche dans votre vision : « elle excite la combativité, elle titille, elle agace, toutes des salopes ». Avec ces propos, vous convoquez

---

elle voyage	elle vote
elle en a où je pense...	elle drague
l'homme admet, contraint et /forcé	elle pense (le comble!)
	la femme alibi
de plus en plus	elle fait pipi debout
elle envahit les bureaux	elle va dans l'armée
l'internationale féminine	plus d'enfants
on utilise ses compétences	on l'écoute
elle a les dents longues	on la raille
elle fait des affaires	elle perturbe
invite à déjeuner	elle est compétente
paye au restaurant	obligé de l'admirer
l'homme fait la vaisselle	y en a même à des postes /très bien
l'homme est désarmé	
elle ne subit plus	y en a même des...
elle fait le premier pas	au moins 4 PDGères françaises

« l'éternel féminin » en passe d'être volatilisé dans le processus de mutation. Mais non! Cela ne saurait être! La femme ne se virilise pas pour de bon, ce serait impensable. Une aberration. Sûrement, il s'agit d'un épisode... *Ça lui passera.* La féminité, reprendra le dessus. Du reste, les Françaises, déjà, reviennent à la maison, elles y étaient plus heureuses. A singer les hommes, elles se sont fait piéger.

Vivement, donc, qu'elles retournent au foyer où actuellement elles ne veulent rien faire. Vivement qu'elles cessent de s'habiller n'importe comment et de ne plus s'arranger. Au rancard ce jean que du reste elles baissent trop facilement (le lendemain elles enlèvent le bas). Vivement qu'elles cessent d'inviter, de s'inviter, de ne se marier plus, de divorcer. Vivement le retour à la saine institution du mariage et à l'ordre antérieur.

Madame Gomez
avoir un directeur femme
la PDGère apprivoisée!
Simone Veil
elle excite la combativité de
/l'homme
elle titille
elle agace
toutes des salopes
ça leur passera
elles reviennent à la maison
elles étaient plus heureuses
elles se sont fait piéger
elles ne veulent plus rien
/faire chez elles
elles conduisent mal

divorcent
ne se marient plus
s'invitent
invitent
elles s'habillent n'importe
/comment
elles se jean
elles s'arrangent plus
le lendemain, elles enlèvent
/le bas!
elles singent les hommes
si ça continue, obligés
/d'aller voir les étrangères
fatiguées par la double
/journée

... une usurpation

les femmes flic
conductrices de bus
d'engins
femme chauffeuse
concierge
elle voyage
elle fait des affaires
invite à déjeuner
paye au restaurant
elle fait le premier pas
elle vote
elle drague
elle pense (le comble!)
elle va dans l'armée
y en a même à des postes très bien
y en a même des...
au moins 4 pédégères françaises
Mme Gomez
la pédégère apprivoisée

... une invasion

les frustrées
l'homme l'admet, contraint et forcé
de plus en plus
elle envahit les bureaux
l'internationale féminine
elle a les dents longues
l'homme fait la vaisselle
l'homme est désarmé
on la raille
elle perturbe
obligé de l'admirer
avoir un directeur femme...
elle excite la combativité des hommes

... une mutation

émancipation
les femmes au pouvoir
la pilule
dure à avaler
gym tonic
la nouvelle femme
c'est le nouvel homme
c'était la *prolétaire* de l'homme
pro-laiteuse
maintenant femme forte
la femme est *professionnelle*
elle n'est plus petite parisienne
elle en a où je pense
on utilise ses compétences
elle ne subit plus
elle fait pipi debout
plus d'enfants
on l'écoute
elle est compétente

La Française
évolue

... ça lui passera

elle titille
elle agace
toutes des salopes
ça leur passera
elles reviennent à la maison
elles étaient plus heureuses
elles se sont fait piéger
elles ne veulent plus rien faire chez
/elles
elles conduisent mal
elles divorcent
elles ne se marient plus
elles s'invitent
elles invitent
elles s'habillent n'importe comment
elles se jean
elles s'arrangent plus
le lendemain elles enlèvent le bas
elles singent les hommes
si ça continue, obligés d'aller voir les
/étrangères
fatiguées par la double journée

43 – La femme fout le camp, tout fout le camp

Ici se produit un craquement. Ce qui craque, c'est tout le fondement du discours que vous teniez au long de la séquence précédente, à savoir que la femme est « autre », fait partie de « l'étranger ». S'il en était ainsi, on pourrait s'accommoder de sa mutation. Mais, sous la croûte de cette vision-là qui vole en éclat, la réalité est toute autre :

Le changement de la femme fait que tout change, que tout a changé, que rien n'est plus comme avant. C'est que la femme n'est pas seulement la femme, elle est aussi la France. L'identification ne fait pas de doute : la France a changé, dites-vous, en conséquence de quoi l'homme a changé, et voici la France défigurée.

Le couple a changé et, dans le couple dont il s'agit, la femme est vécue comme une mère davantage que comme une épouse ou une compagne. On a pu noter, dans la séquence précédente où vous exploriez l'évolution de la femme, un silence, un blanc : rien n'y était dit, en bien ou en mal, sur l'évolution ni du rapport amoureux ni de la relation affective entre les sexes. Ce blanc prend toute sa signification en vous écoutant déplorer à présent

— La femme qui évolue comme ça, pour nous les Français, ça veut dire quoi ?

une déstabilisation de plus
plus comme avant
la France a changé
car la femme a changé
l'homme a changé
le couple a changé
même la femme n'est plus
　　　　　/ce qu'elle était
se battre, même pour les
　　　　　/femmes
plus d'endroit où être
de plus en plus de pédés
elle ose sortir de son
　　　　　/domaine
de plus en plus de divorces
désarroi
il faut se battre pour tout
même pour garder sa
　　　　　/femme
même la femme est fatiguée
allo maman bobo
plus confiance
elle n'est plus celle qu'on
　　　　　/croyait
plus de coussin

que *la femme n'est plus le repos du guerrier*. La figure de la femme, pour les Français, est avant tout la figure primordiale de la Mère (d'où l'identification avec la France), elle est l'endroit où être, le coussin sur lequel on peut se reposer. Quel monde est-ce, où même la femme est fatiguée et où on ne peut plus dire « allo maman bobo ».

La femme a transgressé, elle ne remplit plus sa fonction essentielle parce qu'elle a osé sortir de son domaine, et alors elle est paumée. On ne peut plus compter sur elle, il n'y a plus que des *produits de substitution :* de plus en plus de pédés ; la femme est devenue pneumatique, poupée gonflable, support publicitaire.

Alors, c'est *le vertige*, et celui-ci n'est pas limité à la relation homme-femme, il est généralisé. Un désarroi à fond de nostalgie vous habite. Vous n'avez plus confiance, vous ne savez plus comment vous devez être, vous cherchez un guide de comportement. Il n'y a plus de formules. C'est la crise des valeurs, tout est égal, tout fout le camp.

Et l'effroi devant *le vide :* plus d'homme, plus de femme, plus de foyer, plus d'enfant. Que des crèches et des asiles.

La mutation de la femme, pour l'homme, aboutit à la Chute. Il est chassé du paradis. L'expression « plus, plus de » apparaît seize fois dans la séquence, leitmotiv lancinant, expression d'une perte irrémédiable.

---

nostalgie
la femme est devenue
/pneumatique
poupée gonflable
support publicitaire
elle est paumée
je cherche un guide de
/comportement
comment je dois être
crise des valeurs
tout est égal
c'est ennuyeux
plus de formules
tout fout le camp
la France défigurée

est-ce que ça vaut la peine
/de faire des enfants ?
plus d'homme
plus de femme
plus de foyer
plus d'enfant
plus que des crèches et des
/asiles

... *le vide*

plus d'homme
plus de femme
plus de foyer
plus d'enfant
plus que des crèches et des asiles

La femme
fout le camp,
tout fout le camp

... *les produits*
de substitution

de plus en plus de pédés
la femme est devenue pneumatique
poupée gonflable
support publicitaire

... *le changement*

une déstabilisation de plus
plus commé avant
la France a changé
car la femme a changé
l'homme a changé
le couple a changé
même la femme n'est plus ce qu'elle
/était
elle n'est plus celle qu'on croyait
la France défigurée

... la femme n'est plus le repos du guerrier

se battre, même pour les femmes
plus d'endroit où être
de plus en plus de divorces
il faut se battre pour tout
même pour garder sa femme
même la femme est fatiguée
allo maman bobo
plus de coussin

... la femme a trangressé

elle ose sortir de son domaine
elle est paumée

... le vertige

désarroi
plus confiance
nostalgie
je cherche un guide de comportement
comment je dois être
crise des valeurs
tout est égal
c'est ennuyeux
plus de formules
tout fout le camp
est-ce que ça vaut la peine de faire des enfants?

233

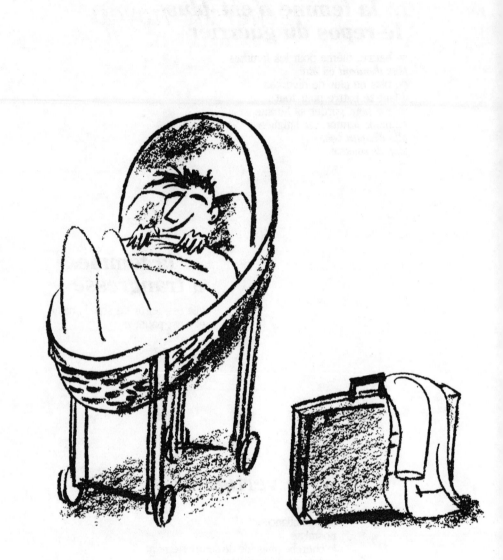

44 – *Français recherche noyau*

Tout excès provoque une réaction. Face au vide, vous vous arrachez au vertige et voici que vous vous ressaisissez, entreprenez d'explorer plus à fond ce changement dont vous avez pris conscience avec effroi. Et l'on assiste à un mouvement contraire du balancier. L'espoir renaît, rien n'est irrémédiable...

Mais le diagnostic d'abord. La société française est malade de n'avoir *plus de cellule*. Cela est dit au moyen d'une métaphore superbe : plus de noyau, rien que des pépins. La société est devenue foule solitaire parce que la famille est énucléée, alors elle éclate. Les vieux, n'étant plus intégrés au sein de chaque cellule, donnent l'impression d'envahir l'espace, on s'en protège en les parquant dans les mouroirs du troisième âge. De même, les enfants: il n'y a plus d'enfants, mais des substituts.

« Plus de matrice... » L'appel se renouvelle : *grand-mère, maman*! Où est ma mère? Oh, retrouver ma mère et, figure plus rassurante encore, ma grand-mère qui me soigne et me gâte avec ses confitures, ses pruneaux d'Agen et ses tisanes à la saveur douce-amère. Figure que symbolise pleinement la mère Denis qui lave le linge familial dans un baquet au bord de la rivière.

Double évocation qui indique le chemin à suivre,

— Plus plus plus...
Qu'est-ce qu'on fait
maintenant?
Voulez-vous qu'on aille
plus loin dans ce thème
du plus?

plus de cellule
famille éclatée
plus de matrice
foule solitaire
famille nucléaire
    énucléée
retour à la famille

tout reprendre
réinventer
confiture grand-mère
la Mère Denis
retrouver le pruneau d'Agen
les tisanes de grand-mère
histoires de grand-mère
où est ma mère
retrouver ma mère
douce amère
plus de noyau
rien que des pépins
les mouroirs du 3e âge
la France envahie par les vieux

dès lors qu'il s'agit de *tout refaire* : tout reprendre, réinventer, retrouver... Le préfixe « re », tant de fois répété, ne laisse aucun doute. Innover, oui, mais en se ressourçant dans ce qui a été, et qu'on a laissé perdre. Innover en plongeant dans son passé.

Point le passé glorieux, guerrier, cocardier, qui ne serait d'aucun secours. Non, il s'agit de réinventer *une*

retrouver le petit village	le confort naît de la vie
le petit clocher	/difficile
retrouver l'âtre	réinventer un confort
les feux de cheminée	se regrouper
le recentrage	des clubs
la communication	serrer les coudes
les îlots	ne pas être assisté
la vie de quartier	de la musique
le centre-ville	6 millions d'instruments
l'auto-responsabilité	des chiens, des chats
la vie civique	des plantes
la vie associative	pas d'enfants
l'écolo	des substituts
bon sens près de chez vous	le cheval

société conviviale, faite de cellules organiques, vivantes
— le petit village, le petit clocher, l'âtre, et dans la ville
l'îlot, le quartier, voire le centre-ville qui pourrait se réa-
nimer. Le tout est de recentrer la vie quotidienne afin
que la communication se rétablisse. Le tout est de
regrouper ce qui doit l'être, de serrer les coudes, et de
laisser la vie civique, la vie associative gérer les affaires
communes, grâce au sens de l'auto-responsabilité qui
prendra le dessus, grâce au bon sens qui a besoin de
cette petite dimension, de cette dimension humaine, pour
revenir à la surface. Cessons d'être des assistés! Décen-
tralisons les affaires publiques jusqu'aux plus fins vais-
seaux du tissu social. Alors se réinventera un « nouveau
confort », un confort différent de celui d'aujourd'hui, celui
qui naît de la vie difficile, comme en témoigne la mère
Denis. Le confort de la vie vraie et simple, dans un envi-
ronnement « small is beautiful » au milieu de la musique,
des plantes, des chiens et des chats. On pourrait croire à
un retour à la case zéro, c'est-à-dire à la symbolique casanière des premières séquences : mon petit coin bien à
moi où je suis bien chez moi... Mais le contexte a bascu-
lé : vous n'êtes plus, à présent, supérieur ni possesseur,
égoïste ni individualiste, méfiant ni replié sur vous-
même. Tout à l'opposé, vous vous découvrez capable et
désireux de trouver un plaisir, peut-être difficile mais
autrement riche, dans la création et la gestion d'une communauté à base de cellules autonomes, chaque cellule
ayant son noyau.

---

la chaumière
le percheron
l'âne
retrouver le plaisir en
/groupe
la randonnée
le refuge de montagne
le plaisir demande un peu
/d'effort
tout est à refaire
le Français devient sportif
tennis
squash
voile

glisse
planche à voile
les sports de combat

... se refaire par le sport

retrouver le plaisir en groupe
la randonnée
le refuge en montagne
le plaisir demande un peu d'effort
le Français devient sportif
tennis
squash
voile
glisse
planche à voile
les sports de combat

... une société conviviale

retrouver le petit village
      le petit clocher
      l'âtre
les feux de cheminée
le recentrage
la communication
les îlots
la vie de quartier
le centre-ville
l'auto-responsabilité
la vie civique
la vie associative
l'écolo
bon sens près de chez vous
le confort naît de la vie difficile
réinventer un confort
se regrouper
des clubs
serrer les coudes
ne pas être assisté
de la musique
6 millions d'instruments
des chiens, des chats
des plantes
le cheval
la chaumière
le percheron
l'âne
retrouver le plaisir en groupe

... *tout refaire*

tout reprendre
réinventer
retrouver
tout est à refaire

Français
recherche
noyau

... *grand-mère,*
maman

retour à la famille
confiture grand-mère
la mère Denis
le pruneau d'Agen
les tisanes de grand-mère
où est ma mère?
retrouver ma mère
douce amère

... *plus de cellule*

plus de cellule
famille éclatée
plus de matrice
foule solitaire
famille nucléaire
famille énucléée
plus   noyau
rien que des pépins
les mouroirs du 3e âge
la France envahie par les vieux
pas d'enfants
des substituts

Vous vous demandez : comment favoriser l'avènement de cette société cellulaire souhaitée si ardemment ? Que faire ?

A vous écouter chercher la réponse à cette question, ce qui frappe d'abord, c'est la modération, la sobriété du propos. Vous ne vous donnez plus ici en spectacle, vous ne vous payez plus de mots ronflants ou excessifs ; vous avez rentré le torse et les ergots. Votre discours se fait réaliste, retenu.

Il faut, d'abord, *une évolution des conduites*. Moins de parade, et plus de pédagogie : former, éduquer, apprendre à lire, apprendre à nager, changer les mentalités. Moins de coups d'éclat et davantage de gestion : prévoir, organiser, planifier, échanger, prendre des risques à bon escient. Moins de vaines croyances et davantage de pragmatisme. Et surtout, ne rester ni dans sa serre ni dans son suaire... Etre moins frileux, moins inerte, moins attentiste aussi (« ne pas aller à Godot »...), se montrer optimiste, volontaire.

Il faut, en même temps et plus profondément, *une évolution des attitudes*. Le salut, ça exige de passer du paraître à l'être, de trouver la voie de l'authenticité. Il faut se présenter vrai, s'accepter comme tel, ce qui implique, d'une part de reconnaître ses qualités plutôt que de

---

— *Donc, on va s'en sortir. Mais comment?*
•

il faut des générations
se faire comprendre
faire évoluer
on ne change pas le monde
/en un jour
former
il faut s'adapter
éduquer
changer les mentalités
se présenter vrai
réapprendre l'effort à long
/terme

la saine sueur
la patience à long terme
redevenir paysan
il faut longtemps pour faire
/un arbre
pas freiner l'évolution
prendre son temps
rien ne sert de courir...
face à l'échec apprendre la
/sérénité
voir venir
être accrocheur
pas rester dans sa serre
son suaire
prévoir

se dénigrer, et d'autre part de ne pas cacher ses faiblesses mais au contraire d'apprendre à se servir de ses défauts. Il faut acquérir le courage de se mettre en question, à partir de quoi il deviendra possible de se faire comprendre, et ainsi, de se faire accepter pour qui on est par les autres.

Mais une autre voie se trace ici, qui est celle de l'assentiment. Moins de crispation : face à l'échec apprendre la sérénité. Accepter le réel, accepter notamment d'être dépassé, se montrer bon joueur. Acquérir une attitude ouverte. A priori, être pour plutôt que contre. Réapprendre la tolérance et faire la part des choses : rendre à César ce qui lui appartient. En un mot, se sentir en solidarité avec le monde, avec les autres, avec soi-même.

Le mot « évolution » est capital. Car il s'agit de *ne pas brusquer*. Il y a un rythme qu'il faut respecter, c'est le rythme même de la terre dont nous sommes issus : il faut longtemps pour faire un arbre. Redevenir paysan, au sens de voir venir, prendre son temps, car la patience à long terme est payante, rien ne sert de courir. En effet, on ne change pas le monde en un jour, ni les hommes — il y faut des générations. On n'avance vraiment que dans la mesure où l'on assure ses arrières. Mais pour être lente, prudente, cette évolution n'est pas pour autant passive, loin s'en faut, elle exige justement l'effort, cette valeur perdue... Et vous vous promettez de cultiver l'effort à long terme plutôt que le coup brillant, l'effort en commun plutôt que l'exploit individuel. Etre accrocheur, bander ses muscles, hisser les amarres, tout le monde sur le pont, sans économiser la saine sueur.

---

organiser	accepter une nouvelle
planifier	/révolution
échanger	d'être dépassé
accepter	faire place nette
viser le long terme	se mettre en question
ne pas cacher nos faiblesses	moins de théorie
bander les muscles	du pragmatisme
hisser les amarres	moins de discussions
prendre des risques	/vaseuses
ne pas aller à Godot	de commissions
assurer ses arrières	de présidents
rendre à César	de réunions
apprendre à nager	d'ordres
être prudent	plus d'indiens que de chefs
faire le point	solidarité

Dans ce paysage aux contours tempérés, on peut s'étonner de voir surgir un élément de relief aux lignes abruptes : *une nouvelle révolution*. A la patience, dans le ton du discours, se substitue ici l'urgence. Il y a tout d'un coup l'expression d'une volonté de changement immé-

CE QU'IL FAUT, C'EST REPARTIR À ZÉRO.

force nouvelle
moins de poudre aux yeux
d'esbrouffe
de vase
plus de vérité
moins de bla-bla
pas d'emplume
    de dentelles
moins de masturbation
            /intellectuelle
le French Cancan terminé
ça va être triste
chassez les notables
ils reviennent au galop
cartes sur table

tout le monde sur le pont
apprendre à lire
à bas les politiciens
reconnaître ses qualités
réapprendre la tolérance
apprécier ses défauts
être pour
s'accepter comme tel
se servir de ses défauts
être optimiste volontaire
bon joueur
virer les croyances
croire à nouveau
respecter les croyances ou
            /la religion

diat. Assiste-t-on au choc frontal entre deux conceptions de la voie à suivre — évolution douce d'un côté, cassure de l'autre ? A voir de près la révolution dont il s'agit, il ne semble pas... Faire place nette, comme vous le demandez, ce n'est pas un appel à renverser le système, ni les pouvoirs établis, ni l'ordre existant. Il s'agit plutôt de les dépoussiérer. De pomper toute cette vase. Un grand coup d'aspirateur pour que les institutions respirent. Moins de bla-bla, de réunions, de commissions, de présidents, de chefs, d'ordres, de discussions vaseuses, de masturbation intellectuelle, de théorie, d'emplume et de dentelle. Cette révolution souhaitée avec ardeur peut paraître modeste et même usurper son nom. Mais si cet ensemble de vœux s'exprime avec une telle intensité, c'est que la poussière, la vase, à la longue, si on les laisse se déposer, forment une croûte, et celle-ci étouffe le mouvement, la vie — empêche précisément d'évoluer dans le sens voulu, d'aller vers cette société cellulaire à laquelle vous aspirez, la société française de demain. La France étouffe de trop de poudre aux yeux, d'esbrouffe. Vous revendiquez plus de vérité, et il est significatif que le mot qui résume tout : « cartes sur table », renvoie à l'un de vos propos tenus dans la séquence 13 : « il y a toujours un dessous des cartes », propos qui condensait cette obsession de vigilance, méfiance, sécurité qui vous faisait vous replier sur vous-même. La nouvelle société doit se fonder sur un rapport de confiance. Là est le sens de la révolution ressentie comme nécessaire. Avoir confiance, c'est *croire* en quelque chose. Croire à nouveau. Regagner la capacité de croire. Voilà l'enjeu.

---

dans tout
un bon péché originel
un bon crédo
je crois en toi
France noble

... une évolution ...

... des conduites

il faut faire évoluer
former
s'adapter
éduquer
changer les mentalités
pas freiner l'évolution
pas rester dans sa serre
pas rester dans son suaire
prévoir
organiser
planifier
échanger
prendre des risques
ne pas aller à Godot
apprendre à nager
du pragmatisme
force nouvelle
apprendre à lire
être optimiste volontaire
virer les croyances
respecter les croyances ou la religion

... des attitudes

se faire comprendre
se présenter vrai
face à l'échec apprendre la sérénité
accepter
ne pas cacher nos faiblesses
rendre à César
accepter d'être dépassé
se mettre en question
solidarité
reconnaître ses qualités
réapprendre la tolérance
apprécier ses défauts
être pour
s'accepter comme tel
se servir de ses défauts
bon joueur

... ne pas brusquer

il faut des générations
on ne change pas le monde en un jour
la patience à long terme
redevenir paysan
il faut longtemps pour faire un arbre
prendre son temps
rien ne sert de courir...
voir venir
viser le long terme
assurer ses arrières
être prudent
faire le point

... une nouvelle révolution

accepter une nouvelle révolution
faire place nette
moins de théorie
moins de discussions vaseuses
moins de commissions
moins de présidents
moins de réunions
moins d'ordres
plus d'indiens que de chefs
moins de poudre aux yeux
moins d'esbrouffe
moins de vase
plus de vérité
moins de bla-bla
pas d'emplume
pas de dentelle
moins de masturbation intellectuelle
le French Cancan terminé
ça va être triste
chassez les notables
ils reviennent au galop
cartes sur table
à bas les politiciens

Les voies du salut

... l'effort

réapprendre l'effort à long terme
la saine sueur
être accrocheur
bander les muscles
hisser les amarres
tout le monde sur le pont

... croire

croire à nouveau
dans tout
un bon péché originel
un bon crédo
je crois en toi
France noble

46 – *Crise du croire*

S'il en fallait une preuve... Les Français ne sont pas actuellement en condition de croire. A peine lancée, la séquence tourne court. Votre parole se fait creuse, se moule dans des formules toutes faites et aussitôt s'épuise, ou dérive dans des jeux de mots. Là où elle résonne vrai, c'est quand, à la question : en quoi croire, vous répondez : *en rien* et *ah, si je pouvais...* Vous vous offrez ici la démonstration a posteriori de ce que vous pressentiez, à savoir que de croire, d'y croire, cela présuppose une mutation des conduites et des attitudes, ainsi qu'un grand nettoyage. Le croire est en crise, et il ne suffit pas d'en avoir envie, ou d'en ressentir le besoin, pour en retrouver le pouvoir.

— *Croire... Si on allait voir ce qu'il y a dans ce mot, « croire »?*

crois en moi
    en toi
je crois en l'autre
je croise le fer
    au large
je crois à la naissance
je crois plus à rien
moi, j'ai envie de croire à
    /nouveau
croissant bien chaud
je crois que demain il fera
    /beau
à la fidélité
à l'effort
à l'autre jour
à l'avenir radieux
aux hommes de bonne
    /volonté

à ce que je crois
je crois en la vie
la politique de la main
    /ouverte
aux grandes étendues en
    /friche
conquête
je crois qu'il faut croire
aux vertus bienfaitrices du
    /coup de pied au cul
à ses héros la France
    /reconnaissante
je croix de bois
    de feu
Klu Klux Klan
que nous sommes les
    /meilleurs
et que j'ai bien besoin de
    /croire

... en la conquête

je croise le fer
je croise au large
aux grandes étendues en friche
conquête

... en soi,
en l'autre

crois en moi
crois en toi
je crois en l'autre
aux hommes de bonne volonté

Crise
du croire

... en rien

je crois plus à rien
croissant bien chaud
je crois que demain il fera beau
à l'autre jour
à l'avenir radieux
je crois à ce que je crois
aux vertus bienfaitrices du coup de
/pied au cul
à ses héros la France reconnaissante
je croix de bois
je croix-de-feu
Ku Klux Klan
que nous sommes les meilleurs

... en des valeurs

je crois à la naissance
à la fidélité
à l'effort
je crois en la vie
en la politique de la main **ouverte**

... ah, si
je pouvais...

moi, j'ai envie de croire à nouveau
je crois qu'il faut croire
et que j'ai bien besoin de croire

247

47 – Poème

(à la reprise, suite au repas de midi du deuxième jour). — On ne va pas essayer de résumer. Essayons plutôt de faire un poème. Avec tout ce qui nous passe par la tête.

il était une fois un grand pays
qui voulait dédier au monde un grand poème
porté par des coursiers et des capitaines
qui faisait des alexandrins
mais manquait d'Alexandrie
un grand pays où il y avait des petits coups
des petites femmes, des petits verres
et de grandes idées, de grands discours, de grands hommes
bannières claquant au vent
armé à tout entreprendre
larme à l'œil
l'alarme à la bretelle
fleur au fusil
le cœur en bandoulière
bille en tête
haut les cœurs!
braguette et esprit volage
voulant toujours faire rimer davantage
plein de gens nés quelque part
qui, partis de rien, n'arrivent à rien
mais n'auront à dire merci à personne
il est arrivé, mais dans quel état
il n'y avait personne pour l'accueil
si ce n'est sa belle et sa concierge,
sa conscience à l'esprit d'escalier,
qui lui rappela, arrivé à Lyon,
que les croisades c'était terminé
on était le 10 du mois
les impôts augmentent
plus de traite des blanches
ah, que ne connaîtrais-je les deux sortes de femmes
celles qui vous rasent et celles qui vous chouchoutent!
dommage que le week-end se termine
vivement la Croisade, ma mie

les boulevards extérieurs sont embouteillés
le matin c'est dur le lundi
à midi, on connaîtra les résultats du tiercé
peut-être serai-je riche
gueule de bois
merde, j'ai perdu les clés de la ceinture de chasteté
heureusement, j'ai ma voiture
et je fais un tour à pied
j'ai dû reprendre le large
aller voir les grands espaces
j'en suis revenu
ras le bol
il me reste que le goût âcre de ma Winston
un bon Français qui vous veut du bien
et qui est fatigué
las
trop las
morosité

Vous n'êtes pas poète. Et pourtant vous composez un poème, qui pourrait s'appeler « le chant de moi-même », en jetant pêle-mêle des bouts de phrases, sur la lancée de tout ce qui a été remué jusqu'à présent. Il en résulte un objet verbal apparemment décousu. Pourtant, à le lire de près, on s'aperçoit que sa charge d'émotion est forte, comme est frappante son unité thématique, et, ce qui peut surprendre davantage, comme est cohérente sa structure.

De quoi s'agit-il dans votre poème? Du décalage, du gouffre, entre le rêve et la réalité. D'un côté la grandeur, la noblesse, l'aventure. De l'autre, la mesquinerie du quotidien. Or voici que le quotidien fait irruption dans le rêve et le déchiquète.

La structure se développe suivant trois axes :

La temporalité : cela commence par : « il était une fois » et se situe presque exclusivement dans le passé jusqu'à : « dommage que le week-end se termine ». A partir de là, tout se passe au présent, à part une fugitive excursion dans le futur : « à midi on connaîtra le résultat du tiercé, peut-être serai-je riche ». Ainsi, la première partie est une libre chevauchée dans un passé fabuleux; dans la deuxième partie, c'est la réalité journalière et son implacable médiocrité qui prennent le dessus.

De qui on parle : à son commencement, le poème est impersonnel et traite de la France, un grand pays porté par des coursiers et des capitaines. Puis il s'agit des Français, gens nés quelque part, qui, partis de rien, n'arrivent à rien. Puis du Français au singulier : il est arrivé, mais dans quel état... Puis enfin de moi Français qui dit « je » — le « je » saisit la parole et la conservera

jusqu'au bout, ou presque... Car les cinq dernières lignes sont une signature. De facture épique au début, le poème ne cesse de devenir plus intime, jusqu'à évoquer la forme d'un billet confidentiel que moi, Français, j'adresse aux Français mes frères...

La syncope : sans cesse l'élan est pris, et sans cesse l'élan casse. Il y a dilatation et rétraction. Diastole et systole. C'est dans la forme même du poème que vous exprimez cette profonde instabilité qui aujourd'hui vous caractérise, l'impossibilité dont vous souffrez de fixer de façon quelque peu durable l'image que vous avez de vous-même — votre identité. On voit bien comment celle-ci ne cesse, ici, de vous échapper : « vivement la Croisade, ma mie », mais le départ en Croisade est contrarié parce que « les boulevards extérieurs sont embouteillés » et je ne retrouverai pas mon amour laissé loin derrière parce que « merde, j'ai perdu les clefs de la ceinture de chasteté, heureusement j'ai ma voiture ». La voiture, substitut de l'amour perdu, ça fera l'affaire, « et je fais un tour à pied », me contrariant ainsi moi-même... N'empêche, je retrouve mon élan : « j'ai dû reprendre le large, aller voir les grands espaces », mais pas plus tôt parti, « j'en suis revenu, ras le bol, il ne me reste que le goût âcre de ma Winston » !   ·

Dans ce feuilleton en dix vers, que de retournements et de détournements ! Rien ne tient de ce que vous voulez faire ou saisir : la Croisade, la Femme, la voiture, les grands espaces. Seul demeure le relent d'une bouffée de cigarette.

Il n'en faut pas plus pour expliquer la fatigue et la morosité qu'exprime, au moment de la signature, « las, trop las, un Français qui vous veut du bien ». Mais déjà, vers le début du poème, surgissait ce quatrain :

> bannière claquant au vent
> armé à tout entreprendre
> larme à l'œil
> l'alarme à la bretelle

où, de l'action conquérante, vous basculiez dans l'obsession de la méfiance et de la peur par une étonnante alchimie de la matière verbale. Aucun discours logique ne pouvait aussi clairement révéler, c'est-à-dire trahir, le drame qui vous affecte, en tant que Français, dans ce qu'on pourrait appeler votre inconscient collectif.

Septième partie

LA FRANCE ET LES FRANÇAIS

48 – La France, elle est comment ?

Non plus les Français, mais la France vue par les Français. Et un paysage extraordinairement différent se découvre. La première chose qui saute aux yeux est que la France possède, à vos yeux, une individualité distincte, qui ne se confond pas avec celle des Français, qui à bien des égards fait contraste avec celle de ses habitants.

Mais avant tout, la France est perçue comme une personne. Une personne de sexe féminin. Le Français est l'homme, et la France est la femme. Ils forment un couple. Le discours que tient le Français sur la France est amoureux. C'est un discours amoureux à la fois sinueux et heurté, complexe, fragmenté, à multiples facettes. Pas moins de douze thèmes s'y entrelacent et la séquence est la plus longue de toutes celles qui auront été produites, attestant d'un flux affectif particulièrement intense.

Qu'est-elle, cette personne ? *Divine... Fidèle... Conviviale... Épouse et mère...* Tels sont les quatre thèmes qui se combinent pour constituer le relief dominant pendant toute la première moitié de la séquence. C'est dire que la tonalité principale, au départ, est celle d'un bonheur dans la relation. L'aimée est sublimée en même temps que désirée. L'élan vers elle est de vénération et d'abandon.

— Les Français, mais...
il y a aussi la France. La
France, elle est
comment ?

est encore
est toujours
toutes les France
des petits clochers
la France est vraie
rayonne
a un passé
profonde
tout change, rien ne change

est un exemple
unique et enviée
dans mille ans, elle sera là,
/fidèle
au rendez-vous
nourricière
patiente
Pénélope
tendresse
de demain
et de toujours
spirituelle
éternelle
indulgence

254

Progressivement, des éléments de relief provenant d'une poussée souterraine très différente surgiront : la France est *exploitée, usée, blessée,* elle n'est *pas nette,* thèmes qui occuperont de plus en plus de terrain pour créer, en s'entrechoquant avec les premiers, une tension qui ne cessera de grandir au cours de cette séquence.

Entre-temps, le mouvement désirant s'amplifie avec l'apparition de deux autres traits : *séduisante,* la France, et *variée!* Et une troisième famille de thèmes : *dominante... en armes... vigilante...* vient enrichir encore le paysage. Tardivement, comme issu de l'entrelacs de tous les autres, jaillit le thème *énigmatique...* Composition saisissante! Vers son milieu, les tensions semblent atteindre un degré extrême et la parole se fait poème :

                    armeuse
                    charmeuse
                    menaçante
                    force de frappe
                    crainte
                    admirée
                    enviée
                    critiquée
                    louée
                    ignorée
                    désemparée
                    cherche à s'imposer
                    elle tend la main
                    toute seule
                    elle accueille
                    elle est violée
                    elle aime ça
                    salope!
                    un peu pute

France mère
accueillante
pas rancunière
chaude
prospère
fille préférée de l'Eglise
poire juteuse
Bécassine
mère des Arts
vache-à-lait du monde
enviée
vieille et toujours racoleuse
le flambeau de la liberté
qui éclaire le monde

France éprouvée
brillante
scintillante
renaissante de ses cendres
toujours debout
la Marseillaise de Rude
exemple démocratique
pacifique
pagaille
dans le Pacifique
nucléaire
armeuse
charmeuse
menaçante

                    un coup dans l'aile
                    pure et dure
                    sac à vin
                    vinassière
                    grande maquerelle
                    couperosée
                    un gros appétit
                    ogresse
                    elle élimine ses graisses
                    hémorroïdes
                    c'est de la fange
                    de l'engrais
                    du ferment
                    du fumier
                    où poussent les plus belles roses
                    une terre de purin
                    champ d'épines

Ici, les différents éléments de relief entrent en collision et fusionnent à un niveau incandescent du langage, où les assonances, les allitérations, le rythme haletant, expriment ce qu'aucun discours organisé ne pourrait dire.

Un cheminement, à présent, dans le détail des thèmes permet de compléter et d'affiner la découverte.

Pure et dure, rayonnante et profonde, unique et vraie, la France apparaît comme hors d'atteinte dans sa perfection : le modèle impossible. On ne peut que la louer, l'admirer, l'envier, la poser en exemple. Alors que vous mettiez quelque ironie dans votre perception de vous-même comme « supérieur », il n'en va pas de même dans cet hymne à la France, *divine* par les attributs qui lui sont reconnus. En filigrane, le couple que consti-

---

force de frappe	salope !
crainte	un peu pute
admirée	un coup dans l'aile
enviée	pure et dure
critiquée	sac à vin
louée	vinassière
ignorée	grande maquerelle
désemparée	couperosée
cherche à s'imposer	un gros appétit
elle tend la main	ogresse
toute seule	elle élimine ses graisses
elle accueille	hémorroïdes
elle est violée	c'est de la fange
elle aime ça	de l'engrais

tuent la France et le Français est vu comme la rencontre d'une déesse et d'un mortel, elle parfaite et lui pétri de faiblesses et d'imperfections.

Ainsi, alors que le Français est changeant, versatile, pas sûr (séquence 40), la France, elle, est *fidèle*. Fidèle, elle l'est à elle-même, au travers de tous les aléas : tout change et rien ne change. Telle un phénix, ancienne et toujours jeune, elle ne cesse de renaître de ses cendres et dans mille ans elle sera au rendez-vous. Elle « est encore », elle « est toujours ». Elle est toujours debout, éternelle.

Aucun doute : la France n'est autre que la femme idéale, telle que celle-ci ressort du contenu des séquences 43 et 44 : *épouse et mère,* mais mère davantage qu'épouse. Patiente, elle dispense tendresse, indulgence et chaleur. France-mère est accueillante, pas rancunière. Mais surtout, pleine de ressources, elle œuvre en tant que nourricière : elle offre l'engrais et le fumier nécessaires à toute croissance, elle est terre de purin — où poussent les plus belles roses. Elle est ferment et vivier.

Fonction qui ne l'empêche pas d'être *séduisante :* spirituelle et charmeuse, bien que vieille et toujours racoleuse, son sourire oscille entre celui, ineffable, de l'Ange de Reims, et celui, en énigme, de la Joconde. Elle est la plus belle du monde, une super-nana.

Par ailleurs *variée* (toutes les France... des petits clochers...) *et conviviale* (pacifique, elle tend la main...), la France réunit dans sa personne, semble-t-il, tous les attraits, toutes les vertus. Son idéalité la maintient « hors l'Histoire ».

Tel est, du moins, l'un des axes de la représentation que vous vous en faites. Mais d'autres axes viennent

---

du ferment	tête pensante
du fumier	vivier
où poussent les plus belles	Charles de Gaulle
/roses	centre du monde
une terre de purin	nombril du monde
champ d'épines	Joconde
dépouillée	sourire en énigme
champ de bataille	la Vénus de Milo
qu'un sang impur abreuve...	sans bras
chant du Départ	nombriliste
chant des Partisans	sourire de Reims
bonnet phrygien	pied de plomb
50 000 000 de résistants	privilèges
des poux dans la tête	jardin à la française

tout compliquer en inscrivant, inconfortablement, la France *dans* le courant de l'Histoire.

Et d'abord, la France apparaît sous les traits de la Marseillaise de Rude. Elle est *en armes*. Crainte, menaçante, « armeuse », dans le Pacifique elle se fait nucléaire. Elle a une force de frappe. Prête au coup de sang, elle est « cette vieille femme qui se lève comme un seul homme ». Ses champs où poussent les plus belles roses sont aussi des champs de bataille. Pompier du monde, elle intervient au nom de la liberté si l'on crie « au feu »! Mais sa pugnacité ne se limite pas aux adversaires de l'extérieur. Un ferment la travaille qui la rend écumante, bouillonnante et même factieuse — communarde ou anarchiste, contestataire de toutes les façons.

On avait vu les Français « l'alarme à la bretelle » dans la séquence 47; il arrive à la France de prendre une une posture exagérément *vigilante* : sur ses gardes, alarmée, alarmiste même.

Et puis, de même que les Français sont supérieurs, la France est *dominante*. Fille préférée de l'Église, mère des arts, flambeau de la liberté qui éclaire le monde, tête pensante parmi les nations, figure avancée de la civilisation, elle occupe la position et remplit la fonction du soleil... Thème où la tonalité du paysage bascule, en ce sens que transperce ici l'ironie dont étaient exempts les précédents éléments de relief. La France est-elle le centre du monde, le nombril du monde, ou s'abuserait-elle à entretenir cette image d'elle-même à grand renfort de lustres de Versailles et de jardins à la française?

Mais l'irruption de l'Histoire dans le paysage se fait fracassante avec le thème : *exploitée, usée, blessée,*

---

classes sociales	restaurée
piston	détruite et remise sur pied
magouille	ravalée
et combine	maquillée
pot de vin	fardée
soleil	maquignonne
Versailles	faisandée
replâtrée	ça respire encore
des lustres	prête au coup de sang
réceptionnale	vieille femme qui se lève
variée	/comme un seul homme
avancée	contestataire
profonde	bouillonnante
rénovée	écumante

thème où la distinction jusqu'alors affirmée entre la France et les Français s'évanouit, où l'on retrouve l'angoisse qui a sous-tendu, depuis le départ, le discours des Français sur eux-mêmes. Poire juteuse qui s'est laissée presser, Bécassine qui s'est laissée exploiter, vache-à-lait du monde, la France est maintenant éprouvée, criti-

ELLE NOUS ENTERRERA TOUS !

communarde	le modèle impossible
factieuse	le moule est cassé
anarchiste	elle a des vapeurs
liberté	incompréhensible
la plus belle du monde	super nana
au feu	super énigme
le pompier du monde	compliquée
en armes	un sphinx
en larmes	ancienne et toujours jeune
sur ses gardes	traditionnaliste et
alarmée	/d'avant-garde
alarmiste	offensée
Marie-Salope	pleine de ressources
mère Denis du monde	dissoute

quée, ignorée. Alors, désemparée, elle cherche à s'imposer mais elle est toute seule. Elle est violée, dépouillée, offensée, elle a reçu un coup dans l'aile, on lui cherche des poux dans la tête. Sans bras comme la Vénus de Milo, elle a le pied de plomb. Détruite et remise sur pied, elle a été restaurée, ravalée, maquillée, fardée. Ça respire encore, mais elle est en larmes : le moule est cassé. Elle est dissoute, elle coule, elle saigne. Qu'y peut-elle, à présent? On la veut, on l'aura.

Ainsi la France idéale, la France éternelle, unique et enviée, se voit-elle transformée en une figure pathétique, pitoyable, celle de la France victime... Victime du sort, victime des circonstances, victime de l'Histoire... Mais un dernier thème : *pas nette,* vient brouiller ce schéma mélodramatique un peu simple : « elle est violée — elle aime ça — salope — un peu pute... ». Et ce qui s'ensuit est la vision d'une France du côté de l'ombre, une vision aussi infernale que la première était édénique. La vision d'une France ogresse et maquerelle, vinassière et couperosée, maquignonne et faisandée, nombriliste, prêtresse de la magouille et des combines, distribuant pistons et pots-de-vin, se traînant dans la fange avec ses hémorroïdes et ses vapeurs. C'est la France aussi de l'imposture — celle qui prétend avoir eu 50 millions de résistants. Celle qui, se présentant comme un champ de roses, n'est qu'un champ d'épines.

La victime pourrait être moins innocente qu'il n'y paraît. Les maux qui l'accablent pourraient être une manière d'expier le grouillement de choses « pas nettes » que rien, dans le sourire radieux de l'Ange de la cathédrale de Reims, ne laisse deviner. Bien qu'il n'y ait pas, dans la production de paroles, jonction explicite

---

elle coule
elle saigne
on la veut, on l'aura
j'y suis, j'y reste
et s'il en reste qu'un, je
          /serai celui-là.

entre crime et châtiment, entre telles vilenies qui auraient été commises et la dégradation subie, on ressent, diffuse dans le paysage, la présence d'une culpabilité. France, as-tu vraiment été violée ? N'aurais-tu pas plutôt fauté ? Ambivalence qui est sous-jacente tout au long du flot des mots. La fille préférée de l'Eglise aurait des comptes à rendre. Mais ça ne vient pas. D'où le malaise. L'état instable.

Nulle part l'ambivalence ne s'exprime aussi fortement que dans ce passage :

c'est de la fange
de l'engrais
du ferment
du fumier
où poussent les plus belles roses
une terre de purin
champ d'épines

Ici s'entrelacent le thème de la fille pas nette et le thème de la mère nourricière, en même temps qu'on y entend l'écho du thème de l'usage trouble du nez (séquence 8) : la décomposition, la fermentation, le faisandé, le miasme et la jonquille... La fermentation, avec tout ce qu'elle présente comme propriétés positives aussi bien que négatives, semble bien jouer un rôle crucial dans le fonctionnement des Français tel que vous le percevez.

Il reste à dire que la violence avec laquelle vous rejettez la France tout en l'adorant est la marque d'une relation extrêmement vivante, d'un sentiment très fort. Tout le contraire d'une indifférence. L'énergie qui est là, sous pression, accumulée dans ce sentiment, on peut supposer qu'il suffirait de peu pour la libérer d'une façon productive. Il y a là, présent, un patriotisme réprimé, qui cherche une issue.

... pas nette

pagaille
elle est violée
elle aime ça
salope !
un peu pute
sac à vin
vinassière
grande maquerelle
couperosée
un gros appétit
ogresse
elle élimine ses graisses
hémorroïdes
c'est de la fange
de l'engrais
du ferment
du fumier
où poussent les plus belles roses
une terre de purin
champ d'épines
50 millions de résistants
nombriliste
privilèges
classes sociales
piston
magouille
et combine
pot de vin
maquignonne
faisandée
Marie-salope
elle a des vapeurs

... divine

la France est vraie
rayonne
profonde
est un exemple
unique et enviée
enviée
France brillante
France *scintillante*
admirée
enviée
louée
pure et dure
soleil
profonde
le modèle impossible

... variée

toutes les France
des petits clochers
variée

... épouse et mère

nourricière
patiente
Pénélope
tendresse
indulgence
France mère
accueillante
pas rancunière
chaude
prospère
de l'engrais
du ferment
du fumier
où poussent les plus belles roses
une terre de purin
vivier
mère Denis du monde
pleine de ressources

... fidèle

est encore
est toujours
a un passé
tout change, rien ne change
dans mille ans elle sera là, fidèle
au rendez-vous
de demain
et de toujours
éternelle
renaissante de ses cendres
toujours debout
ancienne et toujours jeune

... séduisante

spirituelle
vieille et toujours racoleuse
charmeuse
Joconde
sourire en énigme
la Vénus de Milo
sourire de Reims
la plus belle du monde
super nana

... conviviale

pacifique
elle tend la main
elle accueille

262

... énigmatique

Joconde
sourire en énigme
incompréhensible
super-énigme
compliquée
un sphinx
traditionaliste et d'avant-garde

... dominante

fille préférée de l'Eglise
mère des Arts
le flambeau de la liberté
qui éclaire le monde
exemple démocratique
tête pensante
Charles de Gaulle
centre du monde
nombril du monde
nombriliste
jardin à la française
soleil
Versailles
des lustres
réceptionnale
avancée

... exploitée, usée, blessée

poire juteuse
Bécassine
vache-à-lait du monde
France éprouvée
critiquée
ignorée
désemparée
cherche à s'imposer
toute seule
elle est violée
un coup dans l'aile
dépouillée
des poux dans la tête
la Vénus de Milo
sans bras
pied de plomb
replâtrée
rénovée
restaurée
détruite et remise sur pied
ravalée
maquillée
fardée
ça respire encore
en larmes
le moule est cassé
offensée
dissoute
elle coule
elle saigne
on la veut, on l'aura

La France, elle est comment?

... en armes

la Marseillaise de Rude
dans le Pacifique
nucléaire
armeuse
menaçante
force de frappe
crainte
champ d'épines
champ de bataille
qu'un sang impur abreuve...
chant du Départ
chant des Partisans
bonnet phrygien
prête au coup de sang
vieille femme qui se lève comme un
/seul homme
contestataire
bouillonnante
écumante
communarde
factieuse
anarchiste
liberté
au feu
le pompier du monde
en armes
j'y suis j'y reste
et s'il en reste qu'un je serai celui-là

... vigilante

sur ses gardes
alarmée
alarmiste

GDE, SS. ÂGE, CULT, INTEL, SENS,
DOUCE, DÉSIRABLE, SACH. VIV, NOMB. ENF.
CH. PARTENAIRE

49 – Vendre
la France

Le paysage précédent apportait la vision de la France « telle qu'en elle-même » vous la voyez, dans un tête-à-tête entre elle et vous. Mais la France n'est pas seule au monde. Il lui faut vendre à l'étranger et « se vendre », exercer un pouvoir d'attraction, faute de quoi elle s'atrophiera et périra. A présent, c'est donc une vision de la France « aux yeux des autres » qui se dessine — de la France telle qu'elle doit et telle qu'elle peut se présenter à l'extérieur.

Ce qui saute aux yeux, c'est l'extrême abondance des éléments de relief, leur grande diversité, et en même temps l'unité du paysage, la forte homogénéité qui résulte de la manière dont les thèmes s'entrecroisent et se combinent.

Ce qui saute également aux yeux, c'est l'absence de certains des éléments de relief qui, jusqu'ici, tendaient à occuper une place prépondérante : supérieur, casanier, guerrier, possesseur, méfiant, fanfaron, peinard, qui, ensemble et avec leurs variantes, constituaient la chaîne du « masculin français ». Vous semblez ici avoir réussi à vous purger de vos démons. Un exorcisme s'est produit, à partir de quoi vous êtes à même de voir votre pays, et de vous voir vous-même, sans forfanterie, sans ironie ni sarcasme, sans mensonge non plus, dans un mouvement

---

— On la veut, on l'aura.
Qui l'aura? Pour les
étrangers, la France
c'est quoi? Ça peut être
quoi?

un goût
un style de vie
un art de vivre
multifacette
multisplendeur
polymorphe
les autres sont cubes
nous, un diamant

violette du monde
myosotis du monde
sourire énigmatique
la danse des 7 voiles
le diamant est dans le
/nombril
voilette
une femme dans une chaise
/à porteur
technique de pointe et
/laquais français
une femme qui chuchote
/derrière son éventail de
/produits

d'adhésion. Il ne s'agit pas de la France telle qu'elle est, mais de la France telle qu'elle peut être, telle qu'elle peut espérer être perçue par les autres, sans poudre aux yeux, dans une démarche de vérité. C'est, si l'on veut, un programme. Un programme débarrassé des illusions et des mystifications qui jusqu'à présent encombraient le champ. Un programme réaliste, mais qui ne peut se réaliser que si est consenti l'effort dont la nécessité est apparue au cours de la séquence 45 : vers une nouvelle attitude, vers une nouvelle conduite.

Quelle est cette « France vraie » ?

Elle est riche d'un *art de vivre* qui tient à ce que les choses y ont du goût, la vie y possède un style, une qualité, une élégance, une grâce. La France est détentrice d'un savoir qui se distingue de tous les autres, c'est le savoir-vivre. On y cultive « la façon de tout faire » qui rehausse toute action humaine.

La France a une vocation *humaniste*. Pour peu que le Français veuille bien se considérer comme un humain parmi les autres humains, il offre aux autres un pays à la dimension de l'homme et qui présente un visage humain. Un pays qui est apte à porter le futur à hauteur humaine.

La France doit s'assumer en tant qu'à la fois *ancienne et moderne*. Elle a une « tradition d'innovation ». La jonction de ces deux termes opposés est capitale. C'est que les contraires ici ne se contrarient pas mais s'enrichissent l'un l'autre, et créent les conditions d'un progrès en douceur. Voilette, gentilhomme et laquais français, ainsi que femme chuchotant derrière son éventail, peuvent aller de pair avec technique de pointe. Le futur qui fait peur, la France est à même de le domes-

---

suggestive et retenue	nettoyer
dévoiler sans dénuder	épousseter
allumer	épouser
la mettre au bain	refaire la vitrine
la France n'est pas malade	des produits précieux
n'a pas la chtouille	préciosité
gentilhomme	artisanat
la belle France	la honte
c'est la France	affirmer son authenticité
douce France	peut-être qu'on n'ose pas
ah ! la France	garder le parfum
la raisonnance	ne pas nier la réalité
grands cerveaux	montrer les racines
dépoussiérer	le côté sauteur dans le bon sens

tiquer. Les nouvelles technologies, elle peut, par « sa façon de tout faire », les apprivoiser, les humaniser.

Mais il lui faut pour cela, sans rien sacrifier de sa substance, refaire la vitrine, nettoyer, épousseter, dépoussiérer. C'est, tout compte fait, moins une « révolution » (séquence 45) qu'un *renouveau* qui permettra l'émergence d'une image jeune de la France, d'une fraîcheur retrouvée, d'un nouveau savoir : la France sans le rance...

Les techniques de pointe ne doivent pas sonner le glas de *l'artisanat,* bien au contraire : il y aura toujours place dans le monde pour le cousu-main, pour un fini, pour une finition qui participent de l'art de vivre, et qui seront d'autant plus prisés que le monde est voué de plus en plus exclusivement aux productions de série, inodores et sans saveur.

La prééminence, dans le « corps national », de la *tête,* de la *bouche* et du *nez,* fait que la France tend à exceller dans les produits de la pensée et de la parole, à exceller aussi dans l'art de doter toute chose d'un goût et d'un parfum.

Mais il est deux traits, deux caractéristiques du pays France qui, dans ce paysage, ressortent avec un relief tout particulier :

D'abord, sa vocation à *accueillir et relier.* Il y a surgissement d'un ensemble de termes (capacité d'accueil, un quai, faire des ponts, rassembler, le pays de l'entraide, rencontre... et surtout : interconnecter, la jointure, le savoir joindre...) qui assignent à la France une fonction particulière parmi les nations. Plutôt que de chercher à conquérir de force ou à diriger de main de maître, la France peut s'employer à ce que les liens se

---

le Français : un humain
    /parmi les humains
gai
ouvert
oubli de la France champ de
    /bataille
une image jeune de la
    /France
la fraîcheur
un nouveau savoir
rendre les défauts
    /séduisants
nos défauts sont des
    /qualités

F sans le rance
si le talent parlait
le cousu-main
un pays à la dimension de
    /l'homme
à visage humain
capacité d'accueil
pas agressive
vacances à la ferme
petit village
nouvelles technologies
    /apprivoisées
nouveau chien de la France
la France domestique le futur

nouent (« un pays de nœuds ») en vue d'une meilleure entente entre les hommes et les sociétés de cultures différentes.

Et puis, la composante féminine de sa personnalité, fortement affirmée, est perçue par vous de façon positive, comme une richesse et non comme un handicap. La France est *douce,* et il n'est pas exagéré de dire que ce thème est générique. Présent de façon diffuse dans la plupart des autres éléments de relief, il imprime sa tonalité à l'ensemble du paysage. A son mieux, la France provoque l'effusion, elle oriente les hommes vers le savoir gracieux, le progrès s'y effectue en douceur. La France est *désirable :* elle se dévoile sans se dénuder et ce faisant elle allume, elle donne envie de la mettre au bain. Elle est *précieuse :* essence distillée tout autant que diamant. Elle est dotée d'une *féminité discrète :* suggestive et retenue, avec un je ne sais quoi, elle est violette du monde, myosotis du monde. C'est dans *l'humilité* de sa démarche qu'elle peut le mieux séduire. On est à l'antipode des rodomontades du coq dressé sur ses ergots. Elle est, enfin, *fertile :* elle est la semence, elle fait que les champignons sortent de la fermentation... La chaîne que constituent ces six éléments de relief n'est autre que la résurgence du « féminin français », l'un des deux pôles de votre personnalité, qui s'était signalé de loin en loin au cours des 25 premières séquences, et dont l'attraction à présent l'emporte sur l'autre qui avait si longtemps dominé.

Portrait, somme toute, lumineux, à peine assombri par quelques traits qui expriment un doute, *un malaise :* la France doit affirmer son authenticité, ne pas nier la réalité, le Français n'est pas malade, n'a pas la chtouille.

---

porte le futur à hauteur /humaine	terrienne et cosmique le pays de l'entraide
innovation dans la tradition	entregent
une tradition d'innovation	c'est un quai
la semeuse	la fusion
champignons qui sortent de /la fermentation	l'effusion le savoir-joindre
les choses ont du goût	le savoir-vivre
l'informatique au parfum de /France	faire des ponts interconnecter
qualité de la vie sans /archaïsme	rassembler la jointure
le progrès en douceur	rencontre
à visage humain	un pays de nœuds

Discordances à peine perceptibles dans une image qui respire l'espérance et la confiance. Même *les défauts* de la France sont des qualités, ou peuvent le devenir pour peu que nos sachions les rendre séduisants. La vision d'une France déchirée, écartelée par ses contradictions, cède la place ici à celle d'une France *multifacette,* polymorphe, terrienne et cosmique. La coexistence des contraires, loin d'être nécessairement paralysante, peut constituer une source d'énergie et de création.

---

une volonté de perfection
le fini
la finition
joindre l'inutile au
         /désagréable
l'essence
la distillation
vers le savoir gracieux
la grâce
odeur de grâce
l'élégance de vivre
un je ne sais quoi
la façon de tout faire

... douce

douce France
pas agressive
vacances à la ferme
petit village
nouvelles techniques apprivoisées
la France domestique le futur
le progrès en douceur
l'effusion
vers le savoir gracieux

... désirable

dévoiler sans dénuder
allumer
la mettre au bain
la belle France
c'est la France
ah! la France

... fertilité

la semeuse
champignons qui sortent de la
/fermentation

... féminité discrète, humilité

violette du monde
myosotis du monde
sourire énigmatique
la danse des 7 voiles
voilette
une femme dans une chaise à porteur
une femme qui chuchote derrière
/son éventail de produits
suggestive et retenue
peut-être qu'on n'ose pas
garder le parfum
le Français : un humain parmi les
/humains
un je ne sais quoi

... précieuse

multisplendeur
nous, un diamant
des produits précieux
préciosité
une volonté de perfection
l'essence
la distillation

... le nez

garde le parfum
l'informatique au parfum de la France
l'essence
la distillation
odeur de grâce

... la bouche

un goût
une femme qui chuchote...
si le talent parlait...
les choses ont du goût

... la tête

la raisonnance
grands cerveaux
un nouveau savoir
le savoir joindre
le savoir-vivre
vers le savoir gracieux

... malaise

le diamant est dans le nombril
le Français n'est pas malade
n'a pas la chtouille
la honte
affirmer son authenticité
peut-être qu'on n'ose pas
ne pas nier la réalité
montrer les racines
un pays de nœuds

... défauts

le côté sauteur dans le bon sens
rendre nos défauts séduisants
nos défauts sont des qualités
joindre l'inutile au désagréable

... multifacette

multifacette
multisplendeur
polymorphe
technique de pointe et laquais français
suggestive et retenue
innovation dans la tradition
terrienne et cosmique

... accueillir et relier

gai
ouvert
capacité d'accueil
le pays de l'entraide
entregent
c'est un quai
la fusion
le savoir-joindre
faire des ponts
interconnecter
rassembler
la jointure
rencontre
un pays de nœuds

Vendre la France

... unique

les autres sont cubes
nous, un diamant

... renouveau

dépoussiérer
nettoyer
épousseter
refaire la vitrine
oubli de la France champ de bataille
une image jeune de la France
la fraîcheur
un nouveau savoir
F sans le rance

... art de vivre

un goût
un style de vie
un art de vivre
les choses ont du goût
qualité de vie sans archaïsme
le savoir-vivre
la grâce
l'élégance de vivre
la façon de tout faire

... ancienne et moderne

voilette
une femme dans une chaise à porteur
technique de pointe et laquais français
une femme qui chuchote derrière son
/éventail de produits
gentilhomme
nouvelles technologies apprivoisées
la France domestique le futur
innovation dans la tradition
une tradition d'innovation
l'informatique au parfum de France
le progrès en douceur

... artisanat

artisanat
le cousu-main
le fini
la finition
la façon de tout faire

... humaniste

le Français : un humain parmi les
/les humains
un pays à la dimension de l'homme
à visage humain
porter le futur à hauteur humaine

271

50 – Une façon
de faire

« La façon de tout faire » : ce propos, par lequel s'est close la séquence précédente, voici que vous en explorez le contenu. Et ce que vous découvrez ce faisant, c'est en quoi consiste le génie propre de la France. Celui-ci résiderait moins dans la puissance d'invention (de la chose même, de l'idée même) que dans le pouvoir de doter la chose, l'idée, d'une valeur ajoutée, et ceci par « la façon » de la former, de la présenter... Le génie propre de la France serait moins dans la création fondamentale que dans la mise en valeur, dans la mise en forme.

Découverte qui se déploie au travers d'un paysage riche et varié en même temps que cohérent, et où réapparaissent, mais avec une force et une fraîcheur nouvelles, les « parties du corps » visitées précédemment. Et, au premier rang, *l'œil*, à l'origine grandement sous-estimé dans sa fonction. Il y a une façon de faire, spécifiquement française, qui rend les choses désirables au regard en leur donnant du chic, un look, une aura, des reflets, en faisant jouer la lumière — en leur enlevant ce qui pourrait les faire sembler uniformes, monotones, rectilignes, ternes, lugubres, grises. Mais aussi *l'oreille* contribue à cet effet : par elle les choses deviennent sonate, musique suave, harmonie, ondes justes. Mais aussi *le*

« *La façon de tout faire* », qu'est-ce qu'il y a là-dedans?	
le chic	le racé
la subtilité	le sel
l'astuce	fait sur mesure
le goût du beau	la finesse
le méandre	le sel
le bien fini	le génie
des palettes riches	suprême de volaille
le coup de patte	le fin du fin
le coup de griffe	l'arôme
le coup de main	l'extraction
l'art et la manière	aromate du présent
	aristocratie de terroir
	la noblesse à portée de
	/la main
	une allure personnelle

nez, qui permet d'y ajouter l'arôme, les aromates du présent. Et *la bouche,* bien sûr, avec le sel, la fraîcheur acide, la source aigre-douce, le fruit chair, le goût du beau. Il y a une capacité française à faire usage des sens, à susciter le plaisir des sens, à rendre les choses sensibles, que votre parole met en évidence. *La tête,* par ailleurs, est présente en tant que siège de l'astuce, elle est une véritable boîte à malice, génératrice de subtilité.

Ajoutons-y *le pied* (une allure personnelle, l'allure en général...) et surtout *la main* qui vient partager avec l'œil la première place dans les fonctions corporelles : le coup de patte, le coup de griffe, le coup de main, le bien fini, « une touche de... » sont les composants irremplaçables de cette façon de faire qui fait la différence.

Cette façon de faire se résume en un concept : *le style.* Celui-ci est tout autre chose qu'un apport de décor ou d'ornement : il est ancré dans un vécu, il constitue la dimension du sensible. Il donne aux productions de la main et de l'esprit la finesse, la délicatesse, le racé, l'aristocratie de terroir qui les distinguent et les rendent attirantes.

Une caractéristique remarquable du style, façon française, est *le peu* en quoi il consiste. Les Français sont maîtres en l'art du peu. Économie de moyens, discrétion dans l'effet : un rien de, un brin de, un soupçon, la caresse, l'impalpable sont ce qui rend la production fran-

---

une dégaine	fier et pour cause
l'allure	l'écume des choses
un look	le fond des choses
un style	un léger vertige
une manière	ondes justes
un vécu	harmonie
c'est le chien	abandon
clin d'œil	une bise
frisson	un rien de
malin	une folie
boîte à malices	un souffle
le glamour	un petit grain
le vibratile	un brin de
l'aura	un soupçon
l'impalpable	une touche de
le retenu	une effluve
le sensible	le bord
l'iridescent	la crête
le nacré	l'aurore
la caresse	le saut
délicat	la margelle

çaise inimitable. Il y a là une esthétique, on serait tenté de dire une éthique, du retenu, de la réserve.

Abondants et suggestifs sont les renvois, dans cette séquence, à des images de *topographie*, à des évocations concrètes de lieux ou de fragments de lieux. Comme on ne peut pas définir, et pour cause, la façon de faire, on évoque le méandre, le bord, la crête (mais aussi le fond des choses); l'imagination se promène du parc où s'ébattent les cerfs jusqu'au cloître des plaisirs, de l'alcôve à la margelle, du verger du roi nu à l'eau qui dort, du hameau du monde à Trianon et au lieu-dit. La nature du savoir-faire français est moins intellectuelle ou technique que poétique. C'est en donnant libre cours à son imaginaire que le Français progresse et produit. Il n'y a ni formule ni recette, mais à proprement parler, *un mouvement* : le saut, la plongée, le passage, la porte vers le rêve... vers la vie... La force de la France, c'est qu'elle n'est pas installée, pas définitive, qu'elle ne cesse d'être en recherche, en éclosion, potentiellement toujours en résurrection.

Alors, il ne faut pas craindre ou refouler *les émois* comme moyens de production... Le frisson, le vibratile, un léger vertige, une griserie, une effluve, une folie, un abandon aux impulsions et énergies incontrôlées peuvent être les voies de passage vers ce qui n'est pas encore. Il faut être disponible à *l'air du temps,* se mettre en récré,

---

la nacelle	illusion
le beau	l'eau qui dort
le bon	l'âge mûr
sésame	le jardin
la clé	le reflet
la porte vers le rêve	la résurrection
vers la vie	la France rédemptrice
l'alcôve	le verger du roi nu
l'antichambre	le printemps des choses
le passage	avril à Paris
la plongée	fraîcheur acide
le cloître des plaisirs	la cerise
parc au cerf	le fruit chair
le songe	reflet du saule pleureur
la délicatesse	les quatre saisons
la réserve	éclosion
la fraîcheur d'une nuit d'été	Angélus
la rosée	le hameau du monde
le clair obscur	le lieu-dit
une récré	musique suave
jeux de lumière	trianon

jouir de la rosée, de l'aurore comme de la fraîcheur d'une nuit d'été, s'ouvrir au printemps des choses. Il faut accepter *le tempérament* qu'on a, y compris ses manques : la France n'est pas commerçante, libanaise, levantine. Tant pis. Tant pis si elle n'est pas grégaire, si elle est un peu balkanique. L'essentiel, c'est qu'elle n'est pas mesquine, pas frigide, pas bégueule. On peut apporter au monde ce qui lui manque, une façon de faire, à condition d'être vrai, de se reconnaître les talents qu'on possède, d'œuvrer dans l'exploitation de ces talents, et de ne pas s'évertuer à faire ce pourquoi l'on n'est pas fait.

---

sonate
source aigre-douce
cygne

— Et à l'inverse... la France, qu'est-ce qu'elle n'est pas ?

pas bornée
pas spécialisée
pas chiante
pas uniforme
pas monotone
pas grégaire
pas commerçante
pas libanaise
pas levantine
mais un peu balkanique
pas règlée
pas rectiligne
pas nette

pas triste
pas dure
pas quotidienne
pas lourde
pas terne
pas triste
pas lugubre
pas grise
mais grisante
pas triviale
pas fruste
pas mesquine
pas froide
pas frigide
pas bégueule
pas puritaine
pas au sérieux
pas installée
pas définitive
en recherche
la France qui naît

... la main

le bien fini
le coup de patte
le coup de griffe
le coup de main
fait sur mesure
la noblesse à portée de la main
l'impalpable
la caresse
une touche de
pas dure
    lourde
    froide

... l'œil

le chic
le goût du beau
des palettes riches
un look
clin d'œil
le glamour
l'aura
l'iridescent
le nacré
le beau
le clair-obscur
jeu de lumière
illusion
le reflet
reflet du saule pleureur
pas uniforme
    monotone
    rectiligne
    terne
    lugubre
    grise

... le pied

une allure personnelle
une dégaine
l'allure

Une façon de faire

... la bouche

le goût du beau
le sel
suprême de volaille
un souffle
le bon
fraîcheur acide
la cerise
le fruit chair
source aigre-douce

... le nez

l'arôme
l'extraction
aromate du présent

... la tête

la subtilité
l'astuce
malin
boîte à malice
pas bornée
pas spécialisée

... les émois

frisson
le vibratile
un léger vertige
abandon
une folie
une effluve
mais grisante

... l'oreille

ondes justes
harmonie
angélus
musique suave
sonate

... le style

l'art et la manière
le racé
la finesse
le génie
le fin du fin
aristocratie de terroir
un style
une manière
un vécu
c'est le chien
le sensible
délicat
la délicatesse
pas chiante
    réglée
    triste
    quotidienne
    triviale
    fruste

... le tempérament

fier et pour cause
pas grégaire
    commerçante
    libanaise
    levantine
mais un peu balkanique
pas mesquine
pas frigide
    bégueule
    puritaine
    au sérieux

... le peu

l'impalpable
le retenu
la caresse
l'écume des choses
un rien de
un souffle
une touche de
un petit grain
un brin de
un soupçon
une touche de
la réserve

... le mouvement

le saut
Sésame
la clé
la porte vers le rêve
           vers la vie
l'antichambre
le passage
la plongée
le songe
la résurrection
la France rédemptrice
éclosion
pas installée
pas définitive
en recherche
la France qui naît

... la topographie

le méandre
le fond des choses
le bord
la crête
la margelle
la nacelle
l'alcôve
le cloître des plaisirs
parc au cerf
l'eau qui dort
le jardin
le verger du roi nu
le hameau du monde
le lieu-dit
Trianon
cygne

... l'air du temps

une bise
un souffle
un petit grain
l'aurore
la fraîcheur d'une nuit d'été
la rosée
la récré
l'âge mûr
le printemps des choses
avril à Paris
les quatre saisons

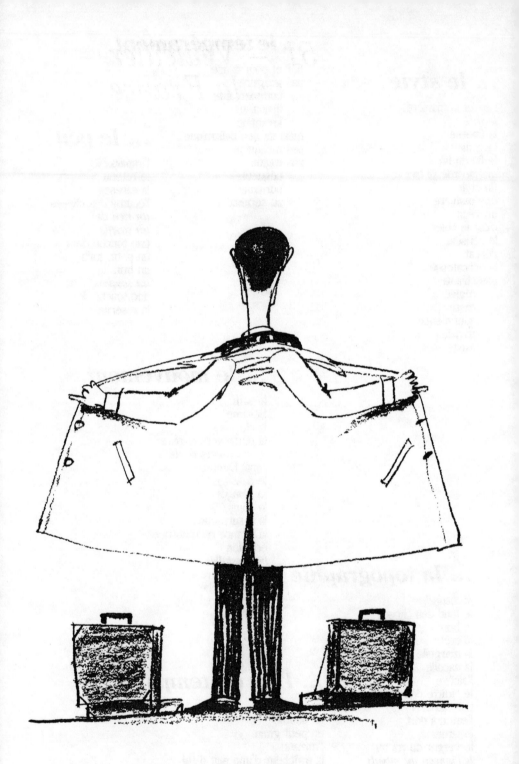

51 – Véhiculer la France

Ça commence comme un poème de Prévert, où ceux qui s'aventurent *(les preux)*, ceux qui savent faire *(les pros)* et ceux qui secourent *(les sauveteurs)* sont joyeusement mêlés. Exemplaire est celui qui sort de son terrier, qui sort de sa peau, pour véhiculer la France au-delà des frontières : le sportif et le cuisinier, le para et l'homme d'affaires, l'explorateur et l'exportateur, ainsi que prêtres, médecins et agronomes disséminant leur foi et leur savoir dans le Tiers-Monde. Et puis, des *héros*, on passe aux *produits* qui « roulent pour la France », et qui couvrent notamment les domaines de la *technologie* (Thomson, Bouyghes, l'Airbus), de la *mode* et du *luxe* (Vuitton, les parfums). Mais trois familles de produits se détachent, qui en viennent à dominer le paysage : celles ayant à voir avec *l'armement,* avec *la bouche* et avec *le sexe,* non sans des passerelles de l'une à l'autre.

Ainsi, pouvez-vous évoquer en une seule et saisissante formule « les armes et la charcuterie ». Un autre raccourci vous permet de mettre dans le même berceau «les armes et les arts ». Mais surtout, il y a porosité entre bouche et sexe avec la gauloise qui est épicée, avec le piquant, le juteux, le corsé, les agaceries agréables, le buccal, le lippu, l'Orient de l'Europe, un petit goût de pêcher... Jonction qui ne saurait surpren-

---

— Cette France qui naît, cette France en recherche, c'est qui?

celui qui fait Paris-Dakar
celui qui s'expédie au Népal
celui qui sort de sa peau
Trigano
le missionnaire
le père blanc
médecins sans frontières
les vrais coopérants
les agronomes
la flotte française

ils ont de la gueule
des chaussettes
/impeccables
les paras français
Cousteau
Ricard
Paul-Émile Victor
Haroun Tazieff
Herzog
char AMX
Dassault
Moët et Chandon
Paul Bocuse
les journaux de mode

dre, la séquence 7 ayant fait apparaître combien la fonction érotique, chez vous, se rattache à la bouche.

Mais plus la séquence avance, plus elle laisse de côté les vedettes (héros et produits) pour se concentrer sur trois thèmes qui, pris ensemble, fondent la spécificité française, et constituent ainsi le véhicule privilégié de la France « en recherche » et « qui naît ».

D'abord *la tête et les mains* qui se complètent pour faire du Français quelqu'un d'inventif et d'ingénieux. Il est bourré d'idées et il a des mains d'artisan. Aussi, sa production est à la fois astucieuse et bien finie. A la tête pensante et aux mains industrieuses s'adjoignent les pieds dans la glaise : le Français garde ses sabots de paysan. Synergie efficace que celle de l'agilité mentale avec la dextérité manuelle et la sûreté terrienne, renvoyant toutes les trois à la tradition de l'ouvrage bien fait.

Ensuite, *le style,* élément de relief qui resurgit de la séquence précédente et qui prend ici une ampleur encore plus grande. On retrouve finesse et raffinement, glamour et la petite chose en plus, le chic et le chien. Mais de nouveaux éléments constitutifs du style apparaissent : la perfection formelle du galet, sa complétude,

---

notre pain
les croissants
le fromage
la charcuterie
la joie de vivre
les putains françaises
nos surplus
nos rossignols
Bouygues
Thomson
et l'armement
la France ne sait exporter
/que des armes
les armes et la charcuterie
Vuitton
du savoir-faire
touche-à-tout
bricoleur
des astuces
de la finesse
des nuances
Danone
Airbus
du raffinement
du style
du décor
un peu de rêve
touch of

de l'amour
du glamour
à travers un parfum on
/passe
Perrier
on vend de la bulle
inventif
sensualiste
le pays qui a des mains
/d'artisans
mère des arts et des armes
ingénieux
bourré d'idées
foisonnante
qui garde ses sabots de
/paysan
un certain feu d'artifice
artificier de l'art
eau qui ruisselle
le feu sacré
qui fuse
le plaisir
des éclats
des étincelles
des produits de plaisir
galet
complétude
silex

sa rondeur (le bien roulé, le bien galbé) et, par contraste, la dureté et la résistance du silex. Le produit français excelle par ses nuances mais aussi par sa tenue. On ne peut pas s'y tromper ; ça a du goût, ça a de la gueule, ça ébouriffe, ça surprend, ça rafraîchit. C'est beau, au point que, même inutile c'est nécessaire et ça tend à être universel. De plus, c'est féminin, c'est la suggestion, ça frôle, c'est la femme... Le style n'est réductible à aucun de ces composants mais les associe dans des dosages variés pour doter le produit français d'un cachet à nul autre égal.

Enfin, *l'élan vital,* sans lequel il n'y aurait pas de style, car celui-ci, loin de n'être qu'un ajout au produit, en est l'essence même. Le style émane des profondeurs, engendré par l'élan vital qui est fait de joie de vivre, et d'un peu de rêve, d'amour. Il est feu d'artifice, eau qui ruisselle, éclat, étincelle, jaillissement imprévisible, plaisir, flirt avec l'imaginaire. On retrouve ici la dimension proprement poétique du savoir-faire français, l'âme, qui fait bon ménage avec le sens du pratique provenant de la tête et des mains. Combinaison harmonieuse, source d'une confiance en soi exprimée ici avec force.

---

art des agaceries agréables	créatif
jaillissement imprévisible	ça ébouriffe
du bien roulé	ça surprend
du bien fini	ça rafraîchit
du bien galbé	c'est universel
rondeur	entraînant
le superficiel indispensable	ça dégage
la petite chose en plus	bien présenté
la joie de vivre	ça recoiffe
le beau mollet	c'est inutile mais c'est
la gauloise	/nécessaire
c'est l'épice	c'est beau
un petit goût de pécher	une île pour le paradis
l'Orient de l'Europe	à quoi cela peut-il servir
le corsé	on ne sait pas mais c'est
l'érotisme	/beau
le juteux	une impression
le buccal	une drogue douce
le lippu	la France à créer
on vend avec la gueule	un paradis à retrouver
ça a de la gueule	je roule pour vous
ça a du goût	frôle
ça gouleye	roucoule
ça a de la tenue	je me bats
du chic	c'est féminin
du piquant	c'est la femme
du chien	savoir-faire féminin
flirt avec l'imaginaire	c'est la suggestion

... les produits...

... la bouche

Ricard
Moët et Chandon
Paul Bocuse
notre pain
les croissants
le fromage
la charcuterie
les armes et la charcuterie
Danone
Perrier
on vend de la bulle
la gauloise
c'est l'épice
un petit goût de pêcher
l'Orient de l'Europe
le corsé
le juteux
le buccal
le lippu
on vend avec la gueule
ça a de la gueule
ça a du goût
ça gouleye
du piquant

... autres

nos surplus
nos rossignols

... l'armement

la flotte française
ils ont de la gueule
des chaussettes impeccables
les paras français
char AMX
Dassault
l'armement
la France ne sait exporter
/que des armes
les armes et la charcuterie
mère des arts et des armes

... la technique

Bouyghes
Thomson
Airbus

... le loisir

Trigano

... le luxe

Vuitton
à travers un parfum on passe

... le sexe

les putains françaises
de l'amour
sensualiste
le plaisir
des produits de plaisir
art des agaceries agréables
du bien roulé
du bien galbé
rondeur
la petite chose en plus
le beau mollet
la gauloise
c'est l'épice
un petit goût de pêcher
l'Orient de l'Europe
le corsé
l'érotisme
le juteux
le buccal
le lippu
du piquant

... la mode

les journaux de mode

... les héros...

... les preux

celui qui sort de sa peau
celui qui fait Paris-Dakar
celui qui s'expédie au Népal
la flotte française
ils ont de la gueule
des chaussettes impeccables
les paras français
Cousteau
Paul-Emile Victor
Haroun Tazieff
Herzog
char AMX
Airbus

... les pros

celui qui sort de sa peau
Trigano
Ricard
Dassault
Moët et Chandon
Paul Bocuse
Bouyghes
Thomson
Vuitton
Danone
Perrier

... les sauveteurs

celui qui sort de sa peau
le missionnaire
le père blanc
médecins sans frontières
les vrais coopérants
les agronomes

282

... tête, main et pied

du savoir faire
bricoleur
des astuces
inventif
le pays qui a des mains d'artisan
ingénieux
bourré d'idées
foisonnante
qui garde ses sabots de paysan
du bien fini

Véhiculer la France

... l'élan vital

la joie de vivre
un peu de rêve
de l'amour
on vend de la bulle
sensualiste
un certain feu d'artifice
eau qui ruisselle
le feu sacré
qui fuse
le plaisir
des éclats
des étincelles
jaillissement imprévisible
la joie de vivre
le juteux
flirt avec l'imaginaire
créatif
entraînant
ça dégage
une île pour le paradis
une drogue douce
la France à créer
un paradis à retrouver
je roule pour vous
je me bats

... le style

de la finesse
des nuances
du raffinement
du style
du décor
touch of
du glamour
artificier de l'art
galet
complétude
silex
art des agaceries agréables
du bien roulé
du bien galbé
rondeur
le superficiel indispensable
la petite chose en plus
le beau mollet
c'est l'épice
le corsé
ça a de la gueule
ça a du goût
ça a de la tenue
du chic
du piquant
du chien
ça ébouriffe
ça surprend
ça rafraîchit
c'est universel
bien présenté
ça recoiffe
c'est inutile mais c'est nécessaire
c'est beau
à quoi cela peut-il servir?
on ne sait pas mais c'est beau
une impression
frôle
roucoule
c'est féminin
c'est la femme
savoir-faire féminin
c'est la suggestion

52 – Le côté femme, le côté homme

Virilité, féminité du Français... Vous êtes intrigué par la façon dont ces deux faces de votre personnalité apparaissent alternativement, parfois même en même temps, dans le miroir. Vous décidez d'aller y regarder de plus près.

Le côté femme

C'est la femme dans sa fonction de *séductrice* à laquelle vous vous identifiez. La belle mystérieuse qui, forte de son savoir-faire amoureux, s'insinue et sait exciter le désir. Coquine, coquette, câline, friponne, mutine, provocante, aguichante, allumeuse... mais avec un extincteur à portée de la main. Tel est votre versant féminin. Vous choisissez des vêtements qui vous déshabillent et nue vous gardez votre voilette. Ce disant, c'est votre façon de vendre que vous décrivez : vous êtes Vénus plutôt que Mars, vous ne vous imposez pas mais jouez de tous les instruments de votre charme; vous ne prenez pas votre client d'assaut mais obtenez qu'il convoite votre vertu.

Au besoin, vous vous prostituez. Que vous soyez chère (difficile à conquérir) ou bon marché (femme faci-

---

le), vous êtes négociable et cherchez à conclure. Tout dépend *de l'offre et de la demande.* Votre échec, ce serait de laisser indifférent. Il faut qu'on vous aime. De vos appâts, il faut que vous tiriez profit.

D'autres touches s'ajoutent au portrait de cette moitié de vous-même : capricieuse et changeante comme la girouette, langue pointue et fourchue comme le serpent, énigmatique comme le sphinx (« je ne suis pas nue mais encore femme... je sexiste... »), amoureuse d'elle-même comme Narcisse (« je prends mes désirs pour ceux des autres... je me chatouille... je touchatouille... »). Dans *le féminin français,* l'accent repose tout entier sur ces deux capacités que vous vous attribuez, de séduire et de jouir. Pas du tout la maman et un peu la putain; pas l'épouse mais l'amante; l'ensorceleuse.

Le côté homme

Tout de suite les images viriles crépitent : faut que ça saute, fromage qui pue, l'andouillette, les tripes, viande faisandée, je bois, je drague, je bande, je suis mauvais comme un coq...

Elles tracent, ces images, un paysage sans joie. Apre. Mélancolique. Où est l'élan des séquences précédentes? C'est comme si la pesanteur du présent, que vous aviez réussi à écarter, revenait s'abattre sur votre esprit, plaquer au sol vos espoirs, votre confiance.

---

je suis très femme
je suis mariée mais...
tout est négociable
je sexiste
je sais exciter le désir
provocante
coquine
allumeuse
je garde ma voilette
allumeuse, mais...
je garde l'extincteur
j'aime les habits qui
　　　　　/déshabillent
j'aime exciter le désir
　　　　　/masculin
je me prends au jeu
je prends mes désirs pour
　　　　　/ceux des autres
je me chatouille

le tout-chatouille
je suis câline
je suis friponne
je raisonne
je résonne
le nez retroussé
coquine
mutine
câline
brune
langue française
langue pointue
langue fourchue
mon échec est de laisser
　　　　　/indifférent
j'aime me faire draguer
il faut quand même qu'on
　　　　　/m'aime
je suis française

Pourquoi cette soudaine dépression? Tout simplement parce qu'en convoquant votre côté homme, vous
vous retrouvez brutalement face aux éléments d'origine :
*coq-chef-guerrier, nez-bouche-fermentation, défensif-pos-
sessif...* De sorte que l'ancienne litanie resurgit, celle
dont vous sembliez avoir réussi à vous purger.

Le sexe, il est vrai, vient apporter renfort et peut-
être réconfort; au moins il est présent, et se tient bien :
l'obélisque, le sabre clair, la pointe de la Bretagne, la tour
Eiffel, le soc de la charrue... Un lapsus, du reste réitéré
(le socle de la charrue... trempe ton socle!) renvoie
néanmoins au Français poseur — posé sur un socle avec
ses attributs, le membre viril en érection, mieux, en
action, et l'outil du paysan sur un fond de terroir — au
Français tel qu'en lui-même sa statue le fige. *Cérébral,*
enfin, refait une entrée en force, et la tonalité de tout cet
ensemble est plutôt négative : il y a régression vers un
exercice stérile de l'esprit (« donc, donc et donc... des
idées... l'idée est reine »), vers une façon de se pava-
ner : hâbleur, gouailleur, vantard, en quête d'honneurs et
de prestige, vous choisissez pour décor le jardin « à la
française », le parc de Versailles, lieu d'oisiveté cérémo-
nieuse, lieu de parade... Ainsi, par un effet pervers de
bouclage, votre production de parole vous rejette hors de
votre virilité, vous retrouve homme féminin qui charme,
qui séduit, qui baise la main des dames à l'intersection
des allées bien tracées... Et qui « fait barrage » à l'inattendu, à la vie... Régression, en bref, vers l'image d'ori-

---

— *Je suis la France.*
J'ai bien quand même
aussi un côté homme ..?

faut que ça saute
fromage qui pue
les tripes
l'andouillette
viande faisandée
je bois
je drague
je bande
je suis mauvais comme un
         /coq
je vends des armes
des voitures
des avions
des métros
sport de combat

je fais barrage
le nucléaire
j'ai la bombe
c'est défensif
je l'ai — qu'il y vienne!
marin
soldat
poète et paysan
je laboure
trempe ton socle
je suis la croisée
un croisé
hâbleur
me battre
vantard
le socle de la charrue
gouailleur
obélisque
j'aime les honneurs

le sabre clair
le prestige
la pointe de la Bretagne
la tour Eiffel
je charme
je séduis
je baise la main
je suis élégant
homme féminin
je construis
je déduis
je précède
j'élabore des systèmes
j'explique l'univers et
               /vous-même
je structure
2 et 2 font quatre
donc et donc et donc...
j'analyse

je décompose
je pense pouvoir faire
je suis un cérébral
une méthode universelle
j'agite les idées
en avance d'une invention
en retard d'une guerre
pouvoir ce que l'on veut et
             /vouloir ce qu'il faut
si jeunesse savait
si vieillesse pouvait
le début du chaos
l'équilibre
l'harmonie
les vibrations que j'apporte
le parc de Versailles
le jardin à la française
la mise en mots
l'organisation des idées

gine, celle que vous projetiez de vous-même au départ et que vous sembliez avoir exorcisée, celle dont, par une série de sursauts, vous étiez parvenu à vous libérer pour découvrir la possibilité d'un autre vous-même — ouvert, vrai, authentique.

Rien d'étonnant à ce que surgisse, dès lors, le thème du *déclin*. Ma langue décline. Je suis de moins en moins reconnu. Je suis en retard d'une guerre. On est la Bretagne de l'Europe. On n'existe que comme trublion. La culture est morte. La France n'est plus faite que de chapelles. Elle est devenue une maison d'intolérance, peuplée de quelques poignées de vieux crabes pas frais, de cabots et de prima donna, meublée de beaucoup de chaises-longues, du reste vides... C'est le début du chaos. Ah si vieillesse pouvait...

Mais à cette vision désespérée s'oppose, en fin de parcours, le sentiment obstiné qu'il ne peut en être ainsi, que la France et les Français sont *à la croisée* de tendances contraires dont peut émerger un renouveau. Est-ce le début du chaos, ou est-ce un nouvel équilibre en gestation? La culture est morte, mais une autre culture peut-être se prépare, une contre-culture. Pour l'heure, dites-vous en jetant un dernier regard sur le miroir, je me cherche sans me trouver, mais je peux espérer une nouvelle harmonie... Le tout est de pouvoir ce que l'on veut et vouloir ce qu'il faut... Je suis la croisée.

---

des hommes d'idées
l'idée est reine
je me cherche sans me
    /trouver
je hais le mouvement qui
    /déplace les limites
pourquoi faire simple quand
    /on peut faire compliqué
je suis cérémonieux
de moins en moins reconnu
ma langue décline
j'ai été la langue de l'Europe
les livres ne sont plus
    /traduits
la Bretagne de l'Europe
on n'existe que comme
    /trublion
la culture est morte
une autre culture peut-être

espérer une nouvelle harmonie
ça vient de Californie
vulgarisation
livre de poche
j'ai tout vu
j'ai tout lu
culture dérision
contre-culture
je m'oppose
maison d'intolérance
les chapelles
l'humour contre
quelques poignées de vieux
    /crabes pas frais
des cabots
des prima donna
Olympia
beaucoup de chaises-longues
vides

... séductrice

fais vendre
aguichante
coquette
désirée
un savoir-faire amoureux
la belle mystérieuse
mutine
spirituelle
je m'insinue
je suis bien faite mais dans un bel
/écrin

je sais exciter le désir
provocante
coquine
allumeuse
je garde ma voilette
allumeuse mais...
... je garde l'extincteur
j'aime les habits qui déshabillent
j'aime exciter le désir masculin
je me prends au jeu
je suis câline
je suis friponne
le nez retroussé
coquine
mutine
câline
brune

Le côté femme

... l'offre et la demande

suis à vendre
j'ai une réputation de femme facile
non
pas facile
difficile à conquérir
je suis mariée mais...
tout est négociable
mon échec est de laisser indifférent
j'aime me faire draguer
il faut quand même qu'on m'aime

... le féminin français

je suis changeante
capricieuse
je suis nue mais encore femme
très femme
je sexiste
je prends mes désirs pour ceux des
/autres

je me chatouille
le tout-chatouille
je raisonne
je résonne
langue française
langue pointue
langue fourchue
je suis française

... la croisée

je suis la croisée
en avance d'une invention
en retard d'une guerre
pouvoir ce que l'on veut et vouloir ce
/qu'il faut

si jeunesse savait
si vieillesse pouvait
le début du chaos
l'équilibre
l'harmonie
je me cherche sans me trouver
je hais le mouvement qui déplace les
/limites
pourquoi faire simple quand on peut
/faire compliqué
la culture est morte
une autre culture peut-être
espérer une nouvelle harmonie
culture dérision
contre-culture
je m'oppose

... le déclin

en retard d'une guerre
si vieillesse pouvait
le début du chaos
de moins en moins reconnu
ma langue décline
j'ai été la langue de l'Europe
les livres ne sont plus traduits
la Bretagne de l'Europe
on n'existe que comme trublion
la culture est morte
une autre culture peut-être
ça vient de Californie
vulgarisation
livre de poche
j'ai tout vu
j'ai tout lu
culture dérision
maison d'intolérance
les chapelles
l'humour contre
quelques poignées de vieux crabes pas
/frais
des cabots
des prima donna
beaucoup de chaises longues vides

... nez, bouche, fermentation

fromage qui pue
les tripes
l'andouillette
viande faisandée
je bois
je décompose

... cérébral

je construis
je déduis
je précède
j'élabore des systèmes
j'explique l'univers et vous-même
je structure
2 et 2 font 4
donc et donc et donc...
j'analyse
je décompose
je pense pouvoir faire
je suis un cérébral
une méthode universelle
j'agite les idées
la mise en mots
l'organisation des idées
des hommes d'idées
l'idée est reine

... coq, chef, guerrier

faut que ça saute
je suis mauvais comme un coq
sport de combat
marin
soldat
trempe ton socle
un croisé
hâbleur
me battre
vantard
le socle de la charrue
gouailleur
obélisque
j'aime les honneurs
le sabre clair
le prestige
le parc de Versailles
le jardin à la française
je suis cérémonieux

... féminin

je charme
je séduis
je baise la main
je suis élégant
homme féminin
les vibrations que j'apporte

Le côté homme

... commerçant, paysan

je vends des armes
des avions
des voitures
des métros
poète et paysan
je laboure
trempe ton socle
le socle de la charrue

... sexe

je drague
je bande
trempe ton socle
obélisque
le sabre clair
la pointe de la Bretagne
la tour Eiffel
Olympia

... défensif, possessif

je fais barrage
le nucléaire
j'ai la bombe
c'est défensif
je l'ai — qu'il y vienne!

A la recherche
d'une conclusion

J'ouvre chacun des mots qu'ils disent, comme on prend
Un livre et j'y découvre un sens profond et grand,
Sévère quelquefois.

V. *Hugo*

Un autoportrait, ainsi, s'est constitué, par le défilé
de cinquante-deux *photographies* de vous-même, chacune
captant votre personne sous un angle différent. Votre personne telle que vous-même la percevez. A la fois vous êtes
campé devant l'objectif, et vous vous tenez derrière l'objectif, l'œil collé au viseur, le doigt sur le déclencheur. Vous
êtes en même temps le photographe et son modèle...

Chacune de vos prises de vue a ceci de remarquable
qu'elle restitue de vous, à la fois ce qui est visible immédia-
tement au regard le plus inattentif (les lieux communs, les
platitudes qui traînent sur toutes les lèvres) et ce qu'on

pourrait appeler « le grain caché » de la peau — les réalités inavouées, les pulsations secrètes qui trahissent l'être véritable derrière les apparences.

Pour passer d'une métaphore à une autre, et pour parachever celle qui s'est développée au fil du commentaire, cinquante-deux *paysages* se sont succédés; il reste, en bout de course, à les juxtaposer, mieux, à les superposer et, par transparence en quelque sorte, à voir dans quelle mesure *un paysage d'ensemble* se dégage, qui laisse apparaître les lignes générales du relief. Pour y parvenir, un recensement a été fait de tous les *thèmes* qui ont surgi au travers de votre production de parole d'une séquence à l'autre; il restait alors à regrouper ces thèmes par ce qu'ils ont d'analogue ou de voisin, ainsi qu'à mesurer leur fréquence, de façon à faire ressortir les quelques éléments les plus marquants de la topographie des Français vus par eux-mêmes, les quelques *chaînes* constituant la structure globale de la personnalité française d'aujourd'hui.

Et d'abord, deux chaînes se distinguent par le volume qu'elles occupent :

OUVERT - AUTHENTIQUE - EN MOUVEMENT : *ouvert[2-14]/ toute la bouche[7]/ le bon usage du nez[8]/ regarder[9-33]/ bien entendante[10]/contact[12]/ liant[18]/ éruptif[25]/ la France initiatrice[28]/ il s'ouvre[32]/ regagne confiance[33]/ la France se déverrouille[33]/ s'intégrer au monde[33]/ pronostic radieux[34]/ ce que je te recommande[34]/ je regarde[35]/ je regarde les autres[35]/ d'un œil nouveau[35]/ je me regarde[35]/ l'action du regard[36]/ le regard autour de soi[36]/ le regard devant soi[36]/ le regard régénérateur[36]/ l'ouverture au monde[37]/ je sors de mon terrier[37]/ va respirer[38]/ ouvert au monde[39]/ une mutation[42]/le changement[43]/une société conviviale[44]/ une nouvelle révolution[45]/ une évolution[45]/ ne pas brusquer[46]/ croire en soi, en l'autre[46]/ conviviale[48]/ accueillir et relier[49]/ renouveau[50]/ le mouvement[50]/ la topographie[50]/ l'élan vital[51]/ les sauveteurs[51]*

TROUBLE - HANDICAPÉ - BLESSÉ : *le guerrier désarmé[5]/ usage trouble du nez[8]/ le regard tordu[9]/ trans-*

---

*Liste des thèmes regroupés par chaînes. Les numéros renvoient aux séquences au cours desquelles un thème est apparu.
Exemple : **ouvert**[2-14] = thème « ouvert » apparu dans les séquences 2 et 14.

gression par l'oreille¹⁰ / se salir les mains¹² / la blessure¹³ /
l'angoisse¹⁴ / négatif¹⁷ / pas préparé¹⁸ / pas efficace¹⁸ / mal
à l'aise¹⁸ / inefficace²⁰ / pas fiable²¹ / grossier²¹ / la France
déchantante²⁸ / pas à l'aise³¹ / ça va moins bien³² / il s'amé-
liore³² / il s'évade³² / cesser de gémir³³ / le grain de sable³⁴ /
l'évasion³⁷ / désir de disparaître³⁹ / nostalgique³⁹ / cyni-
que³⁹ / revenu de tout³⁹ / erreur de branchement⁴¹ / une
vieille histoire⁴¹ / une invasion⁴² / une usurpation⁴² / le
vertige⁴³ / le vide⁴³ / plus de cellule⁴⁴ / tout refaire⁴⁴ / croire
en rien⁴⁶ / poème⁴⁷ / exploitée, usée, blessée⁴⁸ / pas
nette⁴⁸ / malaise⁴⁹ / le déclin⁵²

Elles sont d'importance comparable et, si on les
considère comme formant un seul et même massif, elles
représentent l'élément dominant du paysage. Pour être
antagonistes, elles n'en sont pas moins complémentaires,
et ce sont les deux chaînes sans doute les plus porteuses
d'émotions : confiance et espoir pour l'une, angoisse et
désespérance pour l'autre. C'est entre elles deux que passe
le courant de plus haute tension. C'est dans le champ qu'elles constituent que l'énergie langagière est la plus grande.
Le courant ne cesse, du reste, de s'inverser entre les deux
pôles, que l'on pourrait désigner comme celui de la pulsion
de vie et celui de la pulsion de mort. Ou encore : celui de
la lumière et celui des ténèbres. Entre vie et mort, entre
lumière et ténèbres, le courant qui passe et s'inverse est
celui-là même du conflit entre deux tentations : être ou ne
pas être; lutter pour être, ou se laisser disparaître.
Un deuxième massif se présente, composé par trois
chaînes :

CASANIER - MÉFIANT - POSSESSEUR : casanier¹ /
possesseur² / pas se laisser envahir³ / mes biens³ / l'œil
vigilant⁹ / l'oreille méfiante¹⁰ / le pied récalcitrant¹¹ / la
main : sécurité¹² / la main : s'approprier¹² / casanier-pos-
sesseur¹³ / vigilance-méfiance-sécurité¹³ / seul et replié
sur lui-même¹⁶ / pas chez lui à l'étranger¹⁶ / sur ses gar-
des¹⁶ / méfiant¹⁷ / douillet¹⁷ / prudent²⁵ / replié sur moi-
même³⁹ / pas sûr⁴⁰ / chacun pour soi⁴¹ / flic ou concierge⁴¹ /
je me rétracte⁴¹ / peinard⁴¹ / poème⁴⁷ / vigilante⁴⁸ / défensif-
possessif⁵²

SUPÉRIEUR : *supérieur[1-2-5-13-16-21] / moi qui vous parle...[3] / ma fierté[3] / l'oreille supérieure[10] / la main : gouverner[12] / mener, commander[14] / fanfaron[17-18-39] / pour qui se prennent-ils?[23] / la France cocoriquante[28] / le piédestal[29] / le plus beau[31] / descendre de son piédestal[33] / coq et dindon[40] / poème[47] / dominante[48] / divine[48] / précieuse[49] / unique[49] / coq, chef[52]*

GUERRIER : *guerrier[1-5-11-14-52] / le güerrier désarmé[5] / l'Église et la patrie[6] / attaque guerrière et amoureuse[9] / guerrier solitaire[18] / la France conquérante[28] / la France héroïque et martyre[28] / il attaque[32] / se battre[33] / s'armer[33] / d'un œil combattant[35] / la femme n'est plus le repos du guerrier[43] / croire en la conquête[46] / poème[47] / en armes[48] / les armes[51] / les preux[51]*

A peine moins important en volume que le précédent, ce massif est celui du « masculin français » et il prend, dans le paysage d'ensemble, l'allure d'un formidable camp fortifié. C'est le lieu de retranchement des Français. Leur ligne Maginot. C'est là que se concentre la dose la plus forte à la fois de conservatisme rigide et d'ironie corrosive, aussi peut-on dire qu'elle incorpore sa propre contradiction. C'est à travers ce massif fait de béton et soumis à un lent processus de désagrégation que l'énergie vitale a le plus de mal à passer.

Face à lui se dresse la chaîne :

FRIVOLE - RAFFINÉ - JOUISSEUR : *frivole[1] / raffiné-jouisseur (savoir-vivre)[2] / et ça passe[3] / mes dons[3] / le féminin français[9-16-18] / curiosité[9] / pied galant[11] / main amoureuse[12] / raffiné-jouisseur[13] / suit son souverain plaisir[20] / fin[21] / un amateur aimable[25] / la séduction[26] / toute la sauce[27] / libertinage[27] / vaine et frivole agitation[29] / je m'offre à l'étranger[29] / le plaisir[37] / féminin[40-52] / à la cueillette du plaisir[40] / séduisante[48] / fidèle[48] / féminité discrète, humilité[49] / désirable[49] / douce[49] / art de vivre[49] / le style[50-51] / les émois[50] / l'air du temps[50] / le peu[50] / séductrice[52] / l'offre et la demande[52]*

C'est la chaîne du « féminin français », et c'est celle sur les versants de laquelle on respire le mieux, où le vent souffle. Elle présente la face la plus positive de la personnalité des Français vus par eux-mêmes. La plus positive en ce sens qu'elle est la plus tranquillement assumée, qu'elle n'est que peu parasitée par le sarcasme, la dérision. Il semble que ce soit dans ses traits féminins et sa capacité de jouissance que le Français reconnaisse ses qualités les plus propres à le conduire vers l'accomplissement de lui-même, vers la réussite de ses entreprises chez lui comme à l'étranger.

Ainsi se dessinent les lignes de force du relief général, ce que vient souligner la présence de la chaîne :

PARTAGÉ : *sexe partagé[5] / main : division sociale[12] / attraction-répulsion[20-21] / traits particuliers[29] / un drôle de mélange[31] / coupé en deux[40] / énigmatique[48] / ancienne et moderne[49] / multifacette[49] / la croisée[52]*

tant il est vrai que la situation du Français est de se trouver au croisement de pulsions contraires qui, dans le meilleur des cas, se combinent de façon stimulante, et dans le pire, le coupent en deux ou l'écartèlent.

Paysage qui se complète avec :

FRONDEUR - DÉMERDARD : *frondeur[2-3-16] / démerdard[2-3] / le pied récalcitrant[11] / buté[14] / particulier / contestataire[29]*

CÉRÉBRAL : *rationnel[1] / le sexe dans la tête[5] / l'œil juge[9] / l'oreille cérébrale[10] / cérébral[13-14-52] / homme de tête[16-18-25] / l'esprit[26] / d'un œil analytique[35] / la tête[49-50] / la tête et les mains[51]*

BUCCAL - NASAL : *bouche en avant[2] / mon plaisir[3] / le sexe dans la bouche[5] / la bouche[7-14-16-49-50-51] / le nez[8-16-49-50] / l'œil près de la bouche[9] / homme de bouche[25] / dire et agir[31] / va respirer[38] / nez, fermentation[52]*

Chaînes qui, prises ensemble, reflètent la place prééminente que tient, dans la hiérarchie du corps français, la triade : tête - bouche - nez.

Synthétisons davantage encore ce paysage. Rapprochons *frivole-raffiné-jouisseur* de *ouvert-authentique-en mouvement* : c'est là qu'est le souffle de vie, l'élan vers les autres, l'appel de l'avenir. Au pôle opposé, relions *trouble-handicapé-blessé* à *casanier-méfiant-possesseur-supérieur-guerrier* d'une part, à *cérébral-frondeur-démerdard-buccal-nasal* d'autre part : c'est là qu'est l'instinct de mort, le repliement sur soi, l'enfermement à la fois agressif et apeuré. Entre ces deux pôles, le Français est tiraillé, *partagé*, d'une façon qui aujourd'hui tend à être paralysante, qui en tout cas s'avère épuisante, douloureuse et stérile, mais qui demain pourrait devenir productive, féconde, pour peu qu'une mutation s'opère dans l'image qu'il entretient de lui-même — pour peu qu'un regard vrai succède aux dissimulations et aux travestissements auxquels il consacre, actuellement, une part si grande de son énergie...

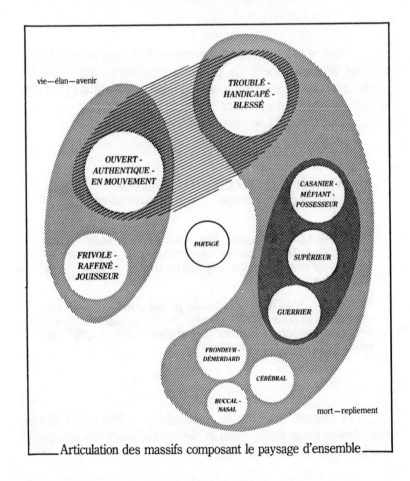

vie—élan—avenir

TROUBLÉ -
HANDICAPÉ -
BLESSÉ

OUVERT -
AUTHENTIQUE -
EN MOUVEMENT

CASANIER -
MÉFIANT -
POSSESSEUR

PARTAGÉ

SUPÉRIEUR

FRIVOLE -
RAFFINÉ -
JOUISSEUR

GUERRIER

FRONDEUR -
DÉMERDARD

CÉRÉBRAL

BUCCAL -
NASAL

mort—repliement

Articulation des massifs composant le paysage d'ensemble

298

Approchons-nous d'une conclusion? Celle-ci pourrait consister à définir ainsi l'apport de ce livre : d'une part une série de cinquante-deux photographies « de détail », s'ajustant les unes aux autres, et mettant chacune en évidence un aspect particulier de la relation des Français à eux-mêmes; et d'autre part une photographie d'ensemble qui permet d'embrasser d'un coup, dans leurs grandes lignes, tous les aspects de la représentation que les Français se font d'eux-mêmes, se donnent à eux-mêmes... Le lecteur peut se considérer pleinement éclairé, suffisamment alimenté en informations par cette moisson, comme il peut aussi bien, partant de ce qui est là, prendre le relais et aller plus avant : procéder à un va-et-vient, du particulier au général et du général au particulier, mais aussi, bien sûr, du particulier au particulier (d'une photo de détail à une autre). Nombreux sont les itinéraires possibles, les rapprochements, les carrefours, permettant d'affiner à l'infini la compréhension de la façon dont fonctionnent les Français, de repérer les fibres qu'il convient de faire vibrer pour mieux gouverner sa vie personnelle, pour mieux communiquer, pour devenir plus efficace en tant qu'acteur économique, civique, politique... Pour mieux accorder le souhaitable au possible, les remèdes aux difficultés qui se présentent.

Mais est-ce là tout? N'y a-t-il pas, dans ces pages, autre chose encore, dont la présence court, parallèle à celle des *photographies?* Un *film* ne s'est-il pas déroulé, marqué par des péripéties, des crises, des renversements de situation? Moins un documentaire qu'un film d'action, un film à suspense... Un film avec personnages, aussi. Car des voix de tonalités distinctes se font entendre et dialoguent. Parfois une voix domine, parfois une autre. Soit dit en passant, ces « voix » n'ont rien à voir avec les voix individuelles des personnes composant le groupe dont la production de parole est la matière de ce livre. C'est le groupe tout entier, indivis, qui éclate en voix différentes, comme si chacune correspondait à une facette différente de la personnalité collective. On peut en dénombrer quatre :

— la voix la plus extérieure, qui est aussi la plus habituelle, la plus courante dans la vie sociale : c'est la voix de la *suffisance*. Elle est riche en lieux communs et en idées toutes faites, mais aussi, elle est comme assaisonnée d'ironie défensive. C'est la voix qui se fait entendre, notamment, toute seule ou presque, au long des trois premières séquences.

— la voix exultante de la *jouissance*, plus épisodique, mais qui fuse irrésistiblement lorsque la parole aborde certaines régions : la bouche, le nez, la tête, l'amour...

— la voix qui exprime *l'angoisse*, et qui peut aller jusqu'à exhaler le désespoir. C'est elle qui prend le dessus quand il s'agit de l'œil, de l'oreille, du pied, du Français à l'étranger, de la Française qui évolue, de la femme qui fout le camp, de la crise du croire.

— la voix de la *confiance*, chaude d'espoir, qui a tout le champ pour elle lorsqu'il est question du Français qui se déverrouille, de l'action du regard, de la sortie du terrier, des voies du salut, d'une « façon de faire »... Ou quand il s'agit de « vendre » la France, de la « véhiculer ».

Mais il arrive fréquemment qu'à l'intérieur d'une même séquence, deux voix, ou trois, ou même les quatre, se fassent entendre en même temps.

Entrons à présent dans le film. Voyons quelle histoire il raconte, quelle action se joue entre ces quatre voix, auxquelles, pour les besoins de notre récit, nous prenons la liberté d'accorder le statut de « personnages » ayant pour noms : *Suffisant, Angoissé, Jouisseur* et *Confiant*. Les quatre personnages qui vous composent...

Première partie : Moi, Français

Il s'agit d'une exposition que prend en charge *Suffisant* en un long monologue non dépourvu d'enflure. Une enflure un peu comique. Ce qui est exposé par ce personnage doté d'une grande bouche et d'un gros cerveau, c'est que tout va bien, c'est qu'il n'y a pas de problème, puisque, dit-il, « je suis supérieur aux autres » et que « je me trouve bien chez moi », retranché parmi « mes biens » et parfaitement décidé à les « défendre » grâce à la batterie de « verrous » dont je dispose. De quoi me plaindrais-je, puisqu'au surplus, « coq » régnant sur ma basse-cour, je possède au plus haut point l'art de vivre et je sais prendre mon plaisir? C'est tout juste si, vers la fin, perce la voix d'un deuxième personnage, *Angoissé,* hors champ, à peine perceptible, mais dont la note discordante est comme annonciatrice des tumultes à venir.

VOIX DOMINANTES	1 - Les premières choses qui viennent à l'esprit...	2 - Le Français, il est comment?	3 - Je suis Français
Confiant			
Angoissé			
Jouisseur			
Suffisant	○	○	○

Deuxième partie : Le corps du Français

Et voici qu'*Angoissé* surgit, rejoignant *Suffisant* dans le champ, et que le dialogue s'engage, abrupt, tendu. Duo au cours duquel, dans le paysage du sexe puis du cœur, *Angoissé* fait vaciller les convictions, qui paraissaient pourtant bien amarrées, de *Suffisant* quant à ses qualités guerrières et amoureuses, quant à sa supériorité en général. Plus démonté qu'il ne voudrait l'admettre, *Suffisant* cherche encore la parade lorsque le paysage change. On est maintenant dans la bouche, puis dans le nez, et les deux adversaires ont décampé ensemble, chassés par un troisième larron, *Jouisseur,* personnage saisissant de vie, haut en couleur, qui s'ébat au travers d'un monologue savoureux dont le son d'authenticité ne trompe pas. *Jouisseur* occupe le terrain avec tant d'assurance et de brio que nous sommes surpris de sa fuite précipitée lorsqu'à la bouche et au nez succède le paysage de l'œil.

301

Là *Angoissé* entre tout seul, et seul il restera lorsqu'à l'œil succèdera l'oreille, puis le pied. C'est que vous découvrez que votre œil est fait pour ne pas voir, votre oreille pour ne pas entendre, votre pied pour ne pas décoller du sol, et cette découverte provoque un malaise profond. Contrairement à ce qu'affichait *Suffisant,* tout ne va peut-être pas aussi bien que ça... Le souci de la sécurité, poussé à ce point, ne serait-il pas atrophiant et, finalement, autodestructeur? A quoi faut-il attribuer cette fermeture, ce repli sur soi? Apparemment à un sentiment de faute, diffus et peu avouable. Une large nappe de culpabilité, souterraine, se révèle au travers de l'usage trouble du nez, du regard tordu, de l'oreille transgressante. Et la présence de cette nappe ne serait pas étrangère au processus de dévitalisation (des sens, des membres) dont vous commencez à découvrir la présence, à l'œuvre en vous, et la menace que pour vous ce processus représente.

VOIX DOMINANTES — 5 - Le sexe 6 - Le cœur 7 - La bouche 8 - Le nez 9 - L'œil 10 - L'oreille 11 - Le pied 12 - La main 13 - En résumé 14 - La tête

Confiant
Angoissé
Jouisseur
Suffisant

Suffisant fait néanmoins sa réapparition, à la faveur d'un changement de décor : on est, maintenant, dans la main, et là, de nouveau ça va bien pour vous puisque, avec la main, vous gouvernez, vous vous protégez et vous prenez : trois activités dans lesquelles vous vous sentez à l'aise. Accalmie. Mais *Suffisant* ne reste pas seul longtemps, *Angoissé* débouche face à lui dès lors qu'il s'agit de « résumer » ce qui s'est passé jusqu'à présent — en fait, vous ne résumez rien du tout, vous partez au contraire dans un nouvel affrontement qui prend la forme d'un duo entre ces deux personnages, marqué par une violence jusqu'alors insoupçonnée. *Suffisant* s'exprime, cette fois, avec un tel excès que ses paroles, à peine prononcées, se dissolvent dans un jus d'humour noir... Cette auto-dissolution du discours de *Suffisant* fait qu'un espace s'ouvre, que vient occuper *Angoissé* en introduisant le thème de la blessure. C'est un moment dramatique, qui débouche sur l'évidence à vos yeux que rien ne va bien, qu'il y a un problème de fond, et que les rodomontades de *Suffisant* ne le résoudront pas. L'intensité de cet instant est poignante au point qu'il y a, brusquement, éclosion d'un « poème » : la parole sous pression pousse vers une ouverture, sans pour l'heure la trouver. Une diversion, alors, se produit : la tête se présente en tant que nouveau paysage, et *Jouisseur* en profite pour revenir remplir le champ. Détente après la tension : un moment de plaisir et d'abandon, pimenté par une sorte de jeu de guignol (« les insultes »).

Troisième partie : Le Français et les autres

Basculement spectaculaire : alors que *Suffisant* était seul, dans la première partie, pour parader en tant que votre porte-parole, c'est *Angoissé* qui se trouve seul dès lors qu'il s'agit d'exprimer le sentiment qui vous habite lorsque vous êtes aux prises avec l'étranger : vous êtes démuni, sans munitions, et votre désarroi atteint un point tel que nous sommes soulagés lorsque font irruption *Suffisant* et *Confiant* (c'est la première apparition de celui-ci) pour ce qui ressemble à une mission de sauvetage. Mais ils s'empêtrent dans cette besogne difficile et, en vérité, la mission tourne court. Vous vous trouvez dans une mauvaise passe.

Et nous restons en suspens, car il s'ensuit un intermède, consacré au défilé de personnages épisodiques (l'Allemand, l'Anglais, l'Italien, l'Américain, le Japonais) qui, à tour de rôle, décochent sur vous un regard acéré. Vous

VOIX DOMINANTES	16 - le Français à l'étranger	17 - Je suis en voyage à l'étranger	18 - Je suis en voyage à l'étranger (II)	25 - le Français vu par les autres en général
Confiant			⊖	⊖
Angoissé	⊖	⊖	⊖	⊖
Jouisseur				
Suffisant			⊖	⊖

encaissez. Par moments, vous ne pouvez vous empêcher de risposter, de leur rendre la pareille. Mais on est en dehors de l'action principale, laquelle repart à nouveau quand le paysage, soudain, révèle le regard que les autres « en général » portent sur vous. Là nous retrouvons *Angoissé* en mauvaise posture, avec *Suffisant* et *Confiant* qui essaient de lui venir en aide. Reprise de l'opération sau-

vetage, mais cette fois avec moins d'insuccès. Sans entraî-
ner un renversement complet de situation, cette scène permet à *Confiant* de marquer des points, moyennant la mise
en avant d'éléments nouveaux (Le Français est éruptif, particulier, un amateur aimable...) qui ne sont pas suffisamment positifs pour réellement rassurer, mais qui compor-
tent des aspects prometteurs, porteurs de quelque espoir.
La troisième partie s'achève dans un climat très mêlé, où
les trois voix s'équilibrent dans une mixture d'auto-satisfaction, d'inquiétude et de confiance. Rien n'est joué.

Quatrième partie : *Le Français et ses valeurs*

Confrontés à leur « ciel », après l'avoir été à eux-
mêmes, à leur propre corps et à la personne de « l'autre »,
nos quatre personnages connaîtraient-ils, dans cette quatrième partie, un certain répit ? C'est l'impression première.
Non pas que l'action piétine, mais elle se poursuit sur un
mode moins tendu. Ainsi, *Jouisseur* pour ce qui sera sa dernière apparition en solo, trouve une sorte d'épanouisse-
ment tranquille lorsque se déploie le vaste paysage de
l'amour, comportement qui contraste avec sa manière pressante, excitée, lorsqu'il s'agissait de la bouche et du nez.
Soit dit en passant, *Jouisseur* a le champ libre pour lui tout
seul dès qu'il s'agit de l'amour, alors qu'il s'était fait porter
manquant lorsqu'il s'agissait du sexe, y laissant *Suffisant* et
Angoissé livrés à leurs maigres ressources...
Sortie de *Jouisseur*, rentrée de notre trio de tout à
l'heure : *Suffisant, Angoissé* et *Confiant* affrontés chacun
aux deux autres dans une lutte qui connaît des tournants
inattendus. L'enjeu en est la gloire puis l'esprit, et les com-
bats commencent, l'un comme l'autre, par la tentative que
fait *Suffisant* d'évacuer les deux autres personnages en faisant le maximum de vacarme. Mais ce vacarme est cela
même qui, par réaction, incite *Angoissé* à se manifester et
à envoyer *Suffisant* dans les cordes. Là où il s'agit de la gloire, Angoissé à son tour recule lorsque *Confiant* intervient
avec un élan d'enthousiasme auquel, semble-t-il pendant un
temps, rien ne saurait résister. Mais l'élan s'avère fragile et
Angoissé revient par la porte de service... Là où il s'agit de
l'esprit, *Confiant*, comme échaudé, fait entendre sa voix

304

d'une façon plus assourdie, et c'est *Angoissé* qui impose aux deux autres sa loi.

Pour un bref moment, *Angoissé* se retire, laissant *Suffisant* et *Confiant* en tête-à-tête. Ce sera, du reste, leur seul tête-à-tête, et celui-ci se produit sur le terrain de la Révolution. Trêve d'inquiétude : vous vous complaisez à humer le fumet, encore vif, des apports de 1789, et y puisez confiance dans l'avenir. Mais la trêve, loin de préluder à un apaisement durable, est vite rompue par un sanglant échange de tirs. Nous sommes dans « En résumé II » et *Suffisant* monte à l'assaut aux cris de : « je suis le plus beau! » tandis qu'*Angoissé* s'infiltre dans les lignes adverses en chuchotant : « je ne suis pas à l'aise! » Duel qui a pour résultat de rouvrir et d'élargir la blessure apparue lors du premier « En résumé ». Pris entre ces deux adversaires, entre ces deux feux, souffrant d'être décidément « un drôle de mélange », embrouillé, meurtri, vous ne vous y retrouvez pas.

Le voyage « chez les autres » (l'étranger) puis « au ciel » (les valeurs) n'a que peu atténué l'atmosphère de confinement dans laquelle, baignant dans les thèmes casanier-méfiant-possesseur-supérieur-guerrier-cérébral, le film a débuté. Certes, des éclaircies se sont produites, notamment autour du thème féminin-jouisseur qui a effectué une relative percée. Mais c'est le thème trouble-handicapé-blessé qui a fait la progression la plus spectaculaire, et le climat dans lequel nous nous trouvons au terme de la quatrième partie, est lourd, incertain.

VOIX DOMINANTES   27 - L'amour   28 - La gloire   29 - L'esprit   30 - la Révolution   31 - En résumé (II)

Confiant — Angoissé — Jouisseur — Suffisant

Cinquième partie : Le devenir des Français

Le cadre temporel dans lequel se déroule notre histoire ici se modifie. Au cours des quatre premières parties, le cadre, c'était le présent, l'état des choses. Celui dans lequel nous sommes maintenant transportés s'est élargi pour embrasser le futur. Qu'advient-il, dans ce nouveau cadre, de nos quatre personnages?

Cohérent avec lui-même, *Jouisseur* — l'avenir ne peut que le laisser indifférent — se retire complètement de l'action, et ce qui est plus significatif, *Suffisant* restera lui aussi silencieux pour ne réapparaître qu'en fin de partie. L'essentiel de l'action se jouera entre *Angoissé* et *Confiant*.

Ils sont tous les deux dans le champ quand il s'agit du Français qui évolue, et d'emblée la voix de *Confiant* domine. Trop facilement sans doute, et son excès d'assurance (le Français s'ouvre, c'est dire qu'il s'évade, c'est dire qu'il s'évase...) permet à *Angoissé* d'effectuer un retournement en révélant la nature factice de cette ouverture. Dans la séquence suivante, *Confiant* prend acte de cette « fausse ouverture » et en effectue une vraie. C'est le déverrouillage, avec le surgissement des thèmes : regarder, cesser de gémir, descendre de son piédestal, s'intégrer au monde, s'armer, se battre, regagner confiance, qui irriguent la totalité du champ. *Angoissé* n'a plus qu'à se taire, car il n'y a plus trace ici des thèmes de clôture. Pour la première fois. Un événement.

Confiant a-t-il présumé de ses forces, des forces du Français? Toujours est-il que dans l'exhortation qui s'en suit, l'excès provoque une réaction, et *Angoissé* revient au galop. Ce n'est pas vrai, semble-t-il dire, que toutes les pesanteurs puissent s'évanouir comme par un coup de baguette magique. A nouveau, *Confiant* prend acte de ce que lui sussure *Angoissé*, et c'est la succession remarquable des trois séquences où *Confiant* occupe seul le terrain à recouvrer le pouvoir d'utilisation de son regard, à agir par le regard, à préparer sa sortie du terrier.

Est-ce gagné? Non... Le dialogue se renoue, dans « Va respirer! », entre *Confiant* et *Angoissé,* ce dernier réapparaissant pour, une troisième fois au cours de cette partie, exprimer la crainte qu'entre l'intention et la réalisation, un fossé existe. « Les choses ne sont pas si simples ».

Et de fait, dans « Va respirer! », tout bascule. Car, au cours des trois séquences qui suivent, seul *Angoissé* se fait entendre; *Confiant* s'est volatilisé, victime de sa démesure, et c'est le retour en force du vieil ennemi, le repliement sur soi qui va jusqu'au désir de disparaître, le tout assaisonné de cynisme et de nostalgie (« Ah si je pouvais... ») — explosion de désespoir dont le niveau d'intensité dépasse celui de l explosion de confiance qui a précédé, au point d'éclater en « poème ». Celui-ci a un effet de catharsis, purge le trop-plein d'émotion de sorte que, lorsque la question revient sur le tapis, la question par quoi tout a commencé : « Le Français il est comment? », la voix se fait moins sauvage, mais c'est pour dresser le bilan d'une situation profondément perturbée. Du « drôle de mélange » déjà constaté, on débouche ici sur l'évidence du Français « coupé en deux ». Coq et dindon d'un côté, féminin et à la recherche du plaisir d'un autre côté, vous n'êtes plus « sûr de rien », moins que tout de vous-même, avec le soupçon grandissant que vous vous êtes laissé prendre dans un piège qui n'est pas extérieur à vous, un piège qui est en vous, avec lequel vous vous confondez. Trois moments « poétiques » scandent cette découverte, constituent la forme que prend cette prise de conscience, en même temps qu'ils donnent expression à la tentation d'éloigner cette réalité insupportable en « se shootant avec ses illusions ». Et puis vient la grande scène de rétractation. *Suffisant,* après une longue absence, fait une rentrée fracassante et joint sa grosse voix à celle *d'Angoissé* pour matérialiser ce retour à l'illusion de la sécurité : oui, le Français est « peinard », on n'a qu'à continuer à vivre chacun pour soi, à se retrancher dans « sa vieille histoire de famille », à se faire le flic ou le concierge de son passé et de ses biens.

VOIX DOMINANTES	32 - Le Français évolue	33 - Le Français se déverrouille	34 - Exhortation	35 - Je regarde	36 - L'action du regard	37 - Je sors de mon terrier	38 - Va respirer!	39 - Ah! si je pouvais	40 - Le Français il est comment?(II)	41 - Je me rétracte...
Confiant										
Angoissé										
Jouisseur										
Suffisant										

Sixième partie : *La femme et les Français*

Le cadre temporel reste celui du devenir, mais il y a changement de lieu. L'opérateur cadre son objectif sur « la Française », et l'action qui s'ensuit, étrangement, semble répéter l'épisode où, au début de la troisième partie, le champ s'était déplacé du Français « chez lui » au Français « à l'étranger ». Même trouble, même inquiétude, et ici comme là c'est *Angoissé* qui seul occupe le terrain, un terrain menacé puisque la femme a entrepris une invasion qui vous laisse « désarmé » : elle usurpe le rôle et les fonctions de l'homme; sa mutation vous met sens dessus dessous, ébranle votre identité de coq. La femme est « l'étranger de l'intérieur » qui sape les fondements de l'ordre naturel. On voudrait espérer (mais peut-on y croire?) que « ça lui passera ».

Approfondissement du gouffre : *Angoissé* découvre au fond de lui-même que la femme est pour le Français avant tout la mère. Sous le coup, il chancelle. Car si la femme fout le camp, eh bien tout fout le camp. Comme orphelin, sans attache ni soutien, il est pris de vertige. C'est le vide. C'est la Chute, l'expulsion du paradis.

Mais dans la séquence suivante se produit un coup de théâtre avec l'entrée en piste de *Confiant* qui apporte à *Angoissé* une réplique vigoureuse : la catastrophe ne peut pas être à ce point irrémédiable, « ressaisis-toi », semble-t-on entendre : s'il faut « tout reprendre », eh bien, reprenons tout, et pour commencer réinventons une société conviviale, « recentrons » la vie quotidienne en puisant dans les valeurs du passé, mais sans retomber dans l'attitude supérieure et possessive, retranchée et méfiante, dont on reconnaît à présent les méfaits. Ce qu'il nous faut retrouver, c'est un noyau. — Hélas, comment faire, à présent qu'il n'y a « plus de cellule » et que la famille est « énucléée »? proteste *Angoissé*, mais sa voix a singulièrement baissé de volume, pour se faire muette dans la séquence suivante où l'action se concentre sur la recherche des voies du salut : *Confiant* a réussi à le faire taire et, libéré de tout contradicteur, il nous montrera, précisément, comment faire pour que les Français sortent de leur mal-être. Il y faut, non pas tellement une nouvelle révolution, qu'une évolution des conduites et des attitudes; il y faut « moins de vase », « plus de vérité », et de la patience. Ne pas brusquer. Il faut longtemps pour faire un arbre. Il faut surtout y croire, « croire à nouveau »...

Et le mot « croire », de façon brutale, inopinée, provoque une convulsion, un nouveau coup de théâtre, comme si le seul fait de le prononcer rouvrait la blessure... *Angoissé* revient au pas de charge, *Confiant* est réduit au silence. C'est la crise du croire — la béance, l'expression pathétique d'une impuissance à fixer sa foi : « je crois qu'il faut croire... je crois que demain il fera beau... croissant bien chaud... je crois plus à rien... » Que peut-on dire, que peut-on faire après cela? « Il était une fois un grand pays... » Ainsi débute le poème dont les accents alors nous atteignent au plus profond, ébouriffante improvisation que nous devons au couple *Suffisant* et *Angoissé,* duel plutôt que duo car entre leurs deux voix se creuse, comme sous les coups d'une pioche furieuse, l'écart entre le rêve et la réalité. Contrepoint douloureux où l'ironie gicle, sulfureuse, pour signifier que cet écart ne paraît pas franchissable : vous êtes trop instable, trop contrarié dans votre identité, pour pouvoir jeter un pont de l'une à l'autre. Il n'y a pas prise. Tout échappe. Ne reste que la lassitude. Une immense fatigue.

A présent le drame s'est noué : il se joue dans le conflit entre les deux familles de thèmes : ouvert-authentique-en mouvement, et trouble-handicapé-blessé, qui correspondent grosso modo aux deux voix de *Confiant* et d'*Angoissé,* alors que les thèmes portés essentiellement par la voix de *Suffisant* (casanier-méfiant-possesseur-supérieur-guerrier-cérébral) sont en récession. Le scénario a pris ce virage décisif, dès lors que le cadre temporel de l'action est passé de l'actuel au devenir. Tout ce qui est jeux de masques et faux-semblant est passé à l'arrière-plan pour laisser surgir le conflit véritable, le conflit de fond, normalement caché, normalement enfoui par dessous les parades de toute sorte — le conflit au cœur de la collectivité française, le conflit irrésolu, déchirant, entre la tentation de disparaître et le désir de survivre.

VOIX DOMINANTES	42 - La Française évolue	43 - La femme fout le camp, tout fout le camp	44 - Français recherche noyau	45 - Les voies du salut	46 - Crise du croire	47 - Poème
Confiant						
Angoissé						
Jouisseur						
Suffisant						

Septième partie : La France et les Français

On a pu observer que le cadrage sur « la Française » en début de sixième partie a été suivi (pour s'en tenir à la métaphore cinématographique) par un travelling qui a ramené, progressivement, l'action dans le champ du

« Français ». Une structure analogue de dérive marquera la septième partie, puisque celle-ci s'ouvre sur un changement de champ (la caméra cadre sur « la France ») et qu'insensiblement elle pivotera pour n'avoir plus que « le Français » dans son objectif. Dans les deux cas, il s'agit d'un mouvement non concerté, involontaire mais irrésistible, de recentrage sur le héros de l'histoire...

Mais pour l'heure, l'invitation à considérer « la France » en elle-même et pour elle-même provoque un soulagement (à la fin de la sixième partie le héros titubait de fatigue au bord de l'abîme) et une extraordinaire effervescence. Pour la première fois, qui sera aussi la dernière, ici les quatre personnages sont présents simultanément. Tous ont un rôle à jouer quand il s'agit de saisir ce personnage « énigmatique » qu'est la France. *Jouisseur*, qui n'était pas entré en scène depuis son grand monologue où il avait tressé la guirlande des multiples visages de l'amour, intervient ici, happé par les charmes de cette dame « séduisante » et « divine », de cette « super-nana », « vieille et toujours racoleuse ». De son côté *Suffisant* ne manque pas le rendez-vous avec cette altière figure, « en armes » et « dominante ». Pour *Confiant*, la France est « fidèle » aussi bien que « conviviale » dans sa double nature d'épouse et de mère. *Angoissé* complète le quatuor en introduisant les notes discordantes qui corsent cette polyphonie : la France, en effet, n'est « pas nette », au surplus elle est « exploitée, usée, blessée ». Les quatre voix en arrivent, vers le milieu de cette séquence, à s'entrechoquer et s'entremêler dans un contrepoint particulièrement dense où le langage se fait poème. Aucun doute : la relation des Français à la France relève d'un sentiment intense, comme s'il y avait là, amassé, un réservoir illimité d'énergie auquel il ne manque qu'un débouché.

Ce débouché, c'est précisément à sa recherche que se lance *Confiant*, qui occupe la totalité du terrain au cours des trois séquences qui suivent. D'abord, il s'agit de recenser les moyens de « vendre la France », c'est-à-dire de la faire sortir, elle, de son terrier, de lui faire recouvrer la place qu'elle mérite, et la fonction qu'elle peut remplir, dans le monde d'aujourd'hui. C'est au prix d'un renouveau que cela se fera, et parmi les atouts qu'elle peut et doit mettre en avant figurent, avant tout, la fusion harmonieuse, unique, qu'elle sait opérer entre l'ancien et le moderne, mais aussi son art de vivre, sa féminité discrète, et enfin sa capacité d'accueillir et de relier. Au rancard les fanfaronnades! On est aux antipodes de l'image stéréotypée de la France casanière, supérieure et guerrière, de la France « cocoriquante » qui avait constitué le paysage d'origine. Retournement prodigieux! Et dans la séquence suivante le propos de *Confiant* se précise : la France peut s'affirmer par sa « façon de faire », une certaine façon, unique, de valoriser ce à quoi elle touche — en utilisant ses sens (l'œil, le nez, la bouche), en apportant un style, en mettant à l'œuvre son « art du peu », en donnant libre cours à son « mouvement », voire à ses « émois ». Car la France, plus que toute autre nation, sait capter et canaliser l'air du temps. Ainsi, faisant jouer dans toute sa vérité le « tempérament » dont elle est dotée, elle donne le ton.

VOIX DOMINANTES	48 - La France, elle est comment?	49 - Vendre la France	50 - Une façon de faire	51 - Véhiculer la France	52 - Le côté femme, Le côté homme
Confiant					
Angoissé					
Jouisseur					
Suffisant					

Avec un tel programme, et en laissant de côté ce pour quoi elle n'est pas faite, ou n'est plus faite — en laissant de côté toute prétention de domination — la France saura tout naturellement « se véhiculer » parmi les autres nations, apporter aux autres ce qui leur manque, et en tirer un juste profit. Pour ce faire, il lui suffira de libérer l'élan vital qui est en elle, et « l'eau ruissellera », « le feu jaillira », « le jus coulera ».

On aurait souhaité en rester là... Mais sans doute n'appartenait-il pas à ce scénario de se doter d'une fin à l'eau de rose. Pour la dernière séquence, *Confiant* s'est retiré, *Angoissé* et *Suffisant* lui succèdent. Travelling. « Le Français » se retrouve dans le cadre. Le Français Janus, vous avec votre côté femme et votre côté homme. En tant que femme, vous jouez surtout de votre séduction, et la tonalité est plutôt positive : vous savez emprunter le détour de la féminité pour vendre et mener bataille. En tant qu'homme...

Eh bien, en tant qu'homme, voilà que, par les voix entrelacées d'*Angoissé* et de *Suffisant*, vous lâchez les positions fraîchement conquises, dévalez la pente qui vous ramène à « coq, chef, guerrier, cérébral, défensif », et, gisant là dans ce marécage où se déposent toutes choses qui « se décomposent » et « fermentent », vous exhalez votre désespoir, prédisez votre propre déclin.

Et l'histoire se termine. Elle se termine sur une vision dont le caractère sombre est atténué par le clignotement d'un espoir. Le Français bouge encore, respire encore, espère encore. Peut-être n'est-ce justement pas la fin, mais la croisée des chemins. A la fois « le début du chaos » et « une nouvelle harmonie ». « Une autre culture peut-être »...

Y aurait-il des vérités que seule une fiction est capable de dire? Y aurait-il une « face » (comme on dit en montagne) de la connaissance de l'homme accessible seulement par le détour d'une histoire qui se raconte? Il ne fait pas de doute, en tout cas, que la moisson produite par le « film » est d'une autre nature que celle produite par la suite photographique. Celle-ci s'organise rationnellement, son mode d'emploi est affaire d'intelligence et d'application méthodique. Celle-là échappe à tout mode d'emploi, il faut se laisser emporter pour en tirer profit. Il y aurait ainsi coexistence de deux façons de chercher à approcher la vérité : une démarche de recherche scientifique, une démarche de création artistique... Il faut observer que seule, ici, la première a été programmée, et que la dernière s'est introduite dans le projet subrepticement, à la façon d'un cambrioleur, sa présence ne se découvrant qu'au moment de l'inventaire.

En résumé, le « film », quelle histoire raconte-t-il?

Le sujet du scénario est une enquête, et celle-ci, conduite par le héros lui-même, porte sur sa propre identité. L'enquête commence sans inquiétude apparente. Au fur et à mesure de l'avancement de l'enquête, un trouble apparaît, et celui-ci ne cesse de s'approfondir (tout ne va pas si bien que ça...) en même temps que se précisent deux sentiments : celui d'avoir été pris dans un piège, et celui d'une culpabilité : le héros serait le fabricant de son propre piège, il y aurait une « faute » qui pourrait être à l'origine du trouble. Cette évolution se fait non pas suivant une ligne continue, mais en ligne brisée, avec des moments d'effondrement allant jusqu'au désespoir, alternant avec des moments de rassurance où la confiance reprend le dessus. L'évidence qui se fait à la fin est que le mal est là, qu'on peut y faire face mais non l'éluder. La tension du scénario réside dans le fait que, craignant de déboucher sur une vérité insoutenable, reculant ici et biaisant là, le héros s'acharne cependant à savoir et va de l'avant. Son acharnement l'emporte sur sa peur, et sa recherche de la vérité aboutit à une conscience aiguë, tout en restant diffuse, de sa blessure. Paradoxalement, la prise de conscience apporte un apaisement à sa souffrance.

Scénario qui n'est pas sans faire penser à celui d'*Hamlet* et, plus loin dans le passé, à celui d'*Œdipe Roi*. Ces deux œuvres, qui ont acquis un statut particulier dans le patrimoine culturel de l'Occident, ont, elles aussi, pour sujet une enquête, conduite par le héros avec le dernier acharnement en même temps qu'avec d'étranges fluctuations. Dans les deux cas, l'enquête porte sur une blessure (le meurtre du roi meurtrit le corps social) et sur les conditions d'une guérison, et elle bifurque sur l'identité même du héros, sur sa capacité à rétablir les équilibres détruits. On peut dire aussi que, peu à peu, le héros est pris au piège de sa propre enquête. Le cheminement de l'enquête, dans les deux cas, est marqué par l'alternance des surgissements de certitudes positives, et des écroulements de ces certitudes : une ligne brisée fait avancer l'action du début jusqu'à la fin. Et pour prendre l'exemple d'*Œdipe Roi* : *suffisant*, le roi de Thèbes l'est, au départ, autant que *jouisseur* du pouvoir et de tous les éléments de bonheur qu'il possède. Mais, avec une violence de plus en plus grande, l'engrenage des situations le fait pivoter de l'état *angoissé* à l'état *confiant* et inversement. Dans *Hamlet,* les mêmes quatre voix remplissent les mêmes fonctions, mais réparties entre les deux personnages qui forment le couple protagoniste-antagoniste : le jeune prince (*angoissé/confiant*) et le roi usurpateur, son oncle (*suffisant/jouisseur*). On pourrait dire de ces quatre voix qu'elles sont, au sens musical, fondamentales. Dans le cas d'*Hamlet* comme dans celui d'*Œdipe Roi*, l'histoire que tissent ces quatre voix est celle d'un mal qui frappe le pays, d'un crime constituant une souillure, d'une souillure entraînant une malédiction, d'une malédiction appelant une purification — et d'une « coupure en deux » du héros qui, parce qu'il est partagé, ne peut agir sur la situation comme la situation le voudrait. Il est impuissant, et devient victime. Mais le fait qu'il devienne victime purge le pays de son mal.

Partagé, coupé en deux, le Français découvre qu'il l'est, nous l'avons vu. Certes, sa prise de conscience du mal qui le fissure ne va pas jusqu'au bout, reste à l'état d'ébauche. Cela ne va pas jusqu'à la désignation du « crime » ni de la « malédiction » dont il a l'intuition diffuse. On peut supposer, tout au plus, que la blessure que porte en lui le Français, la plaie qui suppure et ne se cicatrise pas, sont à mettre en rapport avec une chaîne d'événements « catastrophiques » de son histoire récente — de l'Affaire Dreyfus à la guerre d'Algérie en passant par la guerre d'Espagne, Munich, la défaite, la collaboration, l'Indochine, la dissipation de l'illusion communiste, la perte de puissance — « catastrophiques » dans ce sens qu'ils sont ressentis dans l'inconscient collectif comme autant de taches, qu'ils ont engendré une honte qui a été refoulée mais qui n'a pas pour autant été purgée (état qui ne serait pas sans évoquer la peste envoyée par les dieux sur Thèbes pour forcer la ville à se laver de sa souillure, cette peste qui fait qu'Œdipe en attendant ne règne plus que sur un « champ d'épines »). De ce point de vue, on ne peut s'empêcher de penser que le nazisme, tout compte fait, a été pour l'Allemagne un événement moins « catastrophique », en ce sens que l'écrasement militaire du pays et la destruction de ses villes, suivis de son partage, ont eu un rôle d'expiation; le châtiment a été à la hauteur du crime; il y a eu exorcisme, siphonnage de la souillure, partant, de la honte...

Que l'« enquête » menée par vous-même sur vous-même se soit spontanément structurée suivant les lignes de ces deux scénarios, voilà qui sera interprété par les uns comme une coincidence, par d'autres comme le signal d'une réflexion à poursuivre. Une telle réflexion n'a pas sa place ici. Observons seulement qu'il y a une similitude, et que vous avez ainsi « réinventé la tragédie ». Or, l'invention de la tragédie par les Grecs a été l'invention d'un remède aux maux et aux·contradictions auxquels était en proie la Cité. Le théâtre est né, en même temps que la démocratie athénienne, de la nécessité de mettre en œuvre une thérapeutique visant à restaurer, à intervalles réguliers, la cohésion du corps social, soumise à une érosion permanente. Le génie grec a été d'instituer, pour ce faire, non pas des cours de morale, mais des représentations faites avant tout pour qu'entre en effervescence et se libère l'émotion. Il semble bien que, dans le cas des Français vus par les Français, un processus thérapeutique de même nature se soit déclenché. Il se pourrait qu'il y ait un enchaînement contagieux, et que le présent ouvrage, en dépit de la cruauté de son contenu, ait sur son lecteur un effet vivifiant — dans la mesure où, s'y reconnaissant, il ressentira « l'émotion tragique » qui est un traitement éprouvé dans le cas d'une société en crise qui cherche à déblayer les mensonges accumulés et à retrouver sa cohésion, son identité, sa vocation.

Note sur la méthode

I. Le groupe

Douze personnes, inconnues les unes des autres, ont vécu ensemble pendant deux journées autour d'un animateur.

A quelle fin? L'objet initial de cette réunion était « utilitaire ». La demande faite au groupe était de chercher à résoudre le problème suivant : comment faire pour que les Français réussissent à mieux vendre leurs produits et à améliorer leur image à l'étranger?

Qui étaient ces douze personnes? Elles ont été recrutées au hasard parmi des professionnels dont l'activité comporte des contacts avec l'étranger : cadres de l'industrie et du commerce, ingénieurs, professions libérales. Tous Français, d'âges allant de 30 à 55 ans. Nullement représentatifs de la population française, cela va sans dire. Tous hommes. Tous résidant dans l'agglomération parisienne. Invités, l'espace d'un week-end, à parler. Non prévenus à l'avance du sujet sur lequel ils auraient à s'exprimer.

II. Production de la parole

a) Mise en tension

Il est samedi neuf heures, et l'animateur expose le problème auquel le groupe est invité à se confronter. Il faut qu'en se séparant, dimanche à dix-sept heures, le groupe ait accouché des éléments de réponse. Le groupe accepte-t-il le défi? Si oui, il lui faut convenir des règles du jeu. L'animateur propose notamment les règles suivantes : 1) parole courte, pas de phrases mais des mots; 2) parole libre, pas de censure, tous les mots qui passent par la tête sont bons, aucun n'est ridicule ou hors de propos; 3) on ne contredit pas plus qu'on ne justifie ou qu'on n'essaie de convaincre; 4) autant que possible, parole sensible et concrète plutôt qu'abstraite et générale. Si le groupe est d'accord, il ne reste plus qu'à lancer la production...

b) Production

L'animateur suggère: pour aborder le problème posé, on pourrait commencer par se demander quelles sont les premières choses qui viennent à l'esprit à propos des Français... Il s'ensuit le flot de paroles composant la première séquence. L'expérience montre que toute production selon cette méthode prend la forme d'une succession de vagues, ou *séquences*, qui naissent, se développent et meurent. Le rôle principal de l'animateur est, à épuisement de chaque séquence, d'accoucher la suivante au moyen de quelques mots : les *paroles de relance*. Les relances ne suivent pas un plan déterminé à l'avance; l'animateur épouse le mouvement du groupe, improvise ses interventions à partir de l'intuition qu'il a du besoin et de l'envie du groupe. Toute manipulation est exclue. Pour le reste, le rôle de l'animateur est celui d'un *greffier-aboyeur* (assis au sol, face au groupe installé dans de confortables fauteuils en demi-cercle, il enregistre par écrit, sur des feuilles de papier format affiche, toutes les paroles prononcées tout en les répétant à haute voix) et d'un *gardien* (il intervient si les règles du jeu ne sont pas respectées).

La production est ininterrompue, sauf pour les repas à mi-journée, et en fin d'après-midi du premier jour jusqu'au lendemain matin. A chacun des trois redémarrages, l'animateur propose au groupe de faire le point, de *résumer* ce qui s'est produit jusqu'alors.

III. Traitement

La parole du groupe, comme tout minerai après extraction, demande à être traitée. Le traitement est la série d'opérations allant de la récolte de la parole jusqu'à la mise en forme du présent ouvrage. Celui-ci restitue au lecteur l'intégralité des séquences produites par le groupe, dans l'ordre même où elles se sont succédé dans la réalité. Il était tentant d'opérer une sélection et une remise en ordre, afin d'offrir au public un objet plus facilement consommable. Mais ce faisant, nous aurions substitué notre logique à la logique interne du groupe, nous aurions biaisé la perception du parcours suivi par le groupe. Il nous a paru non seulement préférable mais impératif de respecter l'authenticité du parcours, et ses méandres.

Telle qu'elle est traitée dans ce livre, chaque séquence est une triade — une cellule composée de trois éléments :

a) Production brute

Le lecteur a accès, en bas de page, à la production de paroles telles qu'elles ont été émises par le groupe, dans l'ordre chronologique où elles ont été prononcées. Chaque prise de parole par un membre du groupe figure sur une ligne, et nous l'appelons une *entrée*. Il est rare qu'un membre du groupe fasse deux entrées successives; deux entrées qui se suivent dans l'ouvrage sont presque toujours le fait de deux personnes différentes.

C'est en cours de traitement qu'un titre a été attribué à chaque séquence. Pour qu'apparaisse clairement la façon dont les séquences s'articulent les unes aux autres, les paroles de relance de l'animateur sont citées. Il importe de savoir que la production s'est faite dans un flot continu (mises à part les pauses pour les repas et pour la nuit), chaque séquence découlant de la précédente sans interruption. La division en sept parties, et les titres donnés à ces parties, appartiennent au traitement.

b) Carte topographique

La première étape, dans l'interprétation de chaque séquence, consiste à mettre, en quelque sorte, la production brute en émulsion de façon à laisser émerger les *thèmes*. Chacun des thèmes agit dès lors comme un aimant, attirant vers lui un certain nombre d'entrées. Chaque thème suivi de ses entrées constitue un *élément de relief* de la séquence. Pris tous ensemble, les éléments de relief d'une séquence en constituent le *paysage*. Celui-ci est figuré dans l'ouvrage sous la forme d'une *carte topographique*, dans laquelle on retrouve la totalité des entrées de la séquence.

Il arrive qu'une seule et même entrée ait des affinités avec plus d'un thème. En règle générale, l'entrée est alors agrégée au thème avec lequel elle semble avoir le lien le plus fort. Néanmoins, lorsqu'une entrée se relie avec une force comparable à deux thèmes, ou davantage, elle est démultipliée, et figure dans l'espace de chacun des thèmes en question.

Alors que, dans le rendu de la production brute, toutes les entrées sont traitées à égalité, un élément de hiérarchisation est introduit dans les cartes topographiques : les entrées semblant les plus significatives ou riches de résonances apparaissent en italiques, et ceci permet de faire ressortir les micro-éléments de relief à l'intérieur de chaque thème.

c) Commentaire

Le commentaire de chaque séquence a été rédigé dans la foulée de l'établissement de la carte topographique, et avant que soit abordé le traitement de la séquence suivante. Ce qui entraîne une conséquence importante : le commentateur, en analysant, par exemple, la séquence 35, prend en compte la connaissance accumulée dans l'interprétation des séquences 1 à 34 (il y a accumulation de savoir) mais il ignore *ce qui se passera* dans les séquences 36 à 52. Ce choix méthodologique fait qu'il n'y a jamais prescience, survol de l'ensemble, jusqu'à l'arrivée. Le commentateur *suit* l'histoire sans en dominer le déroulement, subit le suspense, laisse le récit de l'aventure du groupe se constituer au fur et à mesure. Il se concentre sur *ce qui est* dans le présent de la séquence — un présent irrigué par ce *qui s'est passé* précédemment. Le lecteur participe pleinement à un suspense qui n'est pas simulé.

Le commentaire s'applique à être au ras du texte. Il l'épouse. Il cherche à en dégager le mouvement, sans imposer aucun système d'interprétation préconçu. Pour faciliter la liaison avec la carte topographique, les thèmes cités dans le commentaire apparaissent en italiques.

Mis bout à bout, les commentaires de chaque séquence constituent le récit de l'aventure, contiennent tout ce qu'il y a lieu de retenir...

Mais il était dans l'esprit du livre de donner au lecteur la liberté de faire le va-et-vient entre le commentaire et la matière première dont il est issu ; d'exercer son sens critique ; de tirer plaisir de la participation au processus de découverte, grâce à la transparence de la machine à connaître (à se connaître) qui est mise entre ses mains.

Ainsi se justifie le maintien, à l'intérieur de chaque séquence, de la production brute et de la carte topographique. Au demeurant, il y aura sans doute partage entre d'aucuns qui jugeront ces éléments accessoires, et d'autres au contraire qui aimeront y musarder, puiseront là une jouissance esthétique, celle qu'apporte l'objet naturel, ou en cours de transformation...

Des dessins sont entrelacés avec le commentaire. Ils ont pour fonction d'apporter à la fois un repos et une stimulation. Ils cherchent à condenser un aspect significatif du paysage parcouru.

A propos de la méthode : on ne s'étonnera pas que son origine et son développement soient liés aux batailles opposant entre elles, sur le champ économique, les grandes entreprises industrielles et commerciales au cours de la dernière décade. Ni que l'outil, une fois prouvée la fiabilité de ses résultats, apparaisse d'une application autrement plus large que celle pour laquelle il a été conçu.

Au départ, il s'agissait de mettre au point des techniques de recherche marketing permettant d'élaborer des stratégies de lancement de produits fondées sur une connaissance sûre des attentes des populations ciblées... Par un savoureux retournement des choses, voici qu'aujourd'hui ces techniques peuvent contribuer à répondre à l'antique impératif : « Connais-toi toi-même ». Pareil retournement n'est pas sans précédent : il suffit de penser au bond en avant provoqué, dans les différents champs de la recherche scientifique, par les besoins militaires au cours de la Deuxième Guerre Mondiale...

Cet ouvrage est publié en co-édition par les Editions Bernard Barrault et Eugénie, S.A., entreprise spécialisée dans l'innovation. Il est le premier d'une série qui comportera les titres suivants : *Les Anglais vus par les Anglais, Les Allemands vus par les Allemands, Les Italiens vus par les Italiens*. La méthode dite du "vu par" a été développée et mise au point par Rim, société sœur d'Eugénie. Le sigle "vu par" est déposé et servira à identifier d'autres œuvres et travaux en préparation à partir de cette méthode. Le pseudonyme en tête de l'ouvrage désigne un collectif composé de Nicole Taïeb (conception), Bernard Leblanc (animation), Michel Vinaver (traitement et commentaire), Delphine Grinberg (maquette).

Achevé d'imprimer en avril 1985
sur presse CAMERON
dans les ateliers de la S.E.P.C.
à Saint-Amand-Montrond (Cher)

Nº d'Édition : 1036. Nº d'Impression : 619.
Dépôt légal : mai 1985.

Imprimé en France